« Afin que tu leur ouvres les yeux, pour qu'ils passent des ténèbres à la lumière et de la puissance de Satan à Dieu, pour qu'ils reçoivent, par la foi en moi, le pardon des péchés et l'héritage avec les sanctifiés. »

Actes 26.18

Ce que les lecteurs
PENSENT DE CE LIVRE

« Je viens de lire *Révolution dans les missions mondiales*. Ce livre a eu un grand impact sur ma vie et m'a ému plus que tous ceux que j'ai lus auparavant. Comment puis-je commander d'autres exemplaires? »

– Pasteur J. P., Lakeside, Oregon

« Votre livre m'a beaucoup émue et poussée à la prière! »

– Mme J. S., Townson, Maryland

« J'ai lu *Révolution dans les missions mondiales* deux fois, et, plus que jamais, je crois que donner aux missionnaires indigènes et aux enfants du Bridge of Hope est un investissement qui rapportera bien plus que l'or et l'argent. Merci de m'avoir ouvert les yeux, frère K. P. »

– M. K. G., Calgary, Alberta

« J'ai lu votre livre et je pense que c'est l'un des plus dynamiques et terre à terre que j'ai eu l'occasion de lire. Je veux en donner un exemplaire à mon pasteur, à chaque membre du conseil d'administration et à quelques autres personnes de notre église. »

– M. P. W., Santa Margarita, Californie

« Le livre de K. P. Yohannan ramène l'Église au cœur même de la mission que Christ nous a confiée. J'encourage fortement tous les chrétiens, et principalement les pasteurs, à lire ce livre en toute humilité devant le Seigneur. Je suis en train de le lire une seconde fois et il me fait encore beaucoup de bien. »

– Pasteur M. W., Worthing, Angleterre

« Nous avons été mis au défi et déclarés coupables par la lecture de *Révolution dans les missions mondiales*. Nous croyons que notre Seigneur Jésus nous offre la chance de participer à son œuvre en Asie, et c'est une occasion que nous ne voulons pas laisser passer! »

– M. et Mme M. D., Pacifica, Californie

« Nous avons lu le livre de K. P. et nous avons été touchés au point de modifier nos habitudes de vie pour promouvoir l'Évangile. Nous souhaitons pouvoir faire mieux à mesure que nous gagnerons en courage! »

– M. et Mme D. F., Los Alamos, Nouveau-Mexique

« Je suis en train de lire *Révolution dans les missions mondiales* et je suis absolument saisi d'étonnement par tout ce que j'y lis! Avec ma femme, nous demandions au Seigneur de nous révéler ce qu'il attendait de nous à cette étape de notre vie. Ce livre nous a énormément aidés. »

– M. D. M., East Victoria Park, Australie-Occidentale

« Après la lecture de *Révolution dans les missions mondiales*, je suis convaincue que notre modeste contribution peut faire infiniment plus de bien dans cette mission que dans les nombreuses autres avec lesquelles nous collaborons. »

– Mme I. T., Houston, Texas

« J'ai été missionnaire au Niger pendant 20 ans et je comprends le message de ce livre. »

– Mme D. T., Kearney, Arizona

« Si je devais choisir huit livres en dehors de l'œuvre biblique que tous les chrétiens devraient lire, *Révolution dans les missions mondiales* serait l'un de ceux-là. »

– M. J. L., Stockport, Angleterre

Ce que certains leaders chrétiens disent de

« Beaucoup de personnes livrent de bons messages, mais très peu d'entre elles les mettent réellement en pratique. Gospel for Asia prend au sérieux le défi d'évangéliser les peuples qui n'ont jamais entendu la Bonne Nouvelle et c'est à l'intérieur de la fenêtre 10/40 que l'Évangile doit se répandre. Gospel for Asia est aujourd'hui une force majeure pour offrir l'espérance à ces gens qui représentent le groupe le moins évangélisé sur terre. Cette organisation a ce qu'il faut pour présenter l'Évangile dans cette partie du monde. »

– Luis Bush, directeur de World Inquiry

« Gospel for Asia est devenue l'une des plus importantes agences missionnaires innovantes, avec une structure administrative fiable. Cette organisation fait un excellent travail. »

– Patrick Johnstone, auteur d'*Opération monde*

« Gospel for Asia n'est pas un mouvement, mais un phénomène, et elle est devenue une des organisations missionnaires les plus importantes de ce siècle. »

– George Verwer, fondateur et ancien directeur international d'Opération mobilisation

« De temps à autre, Dieu donne à son peuple un homme qui peut l'examiner, poser un diagnostic et prescrire un remède pour sa guérison. K. P. Yohannan est ce genre d'homme. K. P. n'a que faire d'une connaissance intellectuelle, à moins qu'elle amène les gens à mener une vie sainte et à chercher à faire grandir l'Église dans le monde entier pour la gloire de Dieu. Et cet homme met en pratique ce qu'il prêche. Si vous l'écoutez attentivement, vous poursuivrez votre route avec la pensée de l'éternité gravée dans votre cœur. »

– Erwin Lutzer, pasteur principal de Moody Church, Chicago, Illinois

« Malgré le grand nombre d'excellents groupes chrétiens oeuvrant dans le monde entier, à mon avis, Gospel for Asia est unique en son genre. Avec très peu d'argent, un évangéliste peut présenter Jésus-Christ efficacement à des auditeurs désireux d'apprendre. J'ai travaillé avec ces hommes, et j'ai appris beaucoup sur les valeurs d'engagement et de dévouement. K. P. Yohannan vit et respire l'intégrité. Cette intégrité a pénétré chaque fibre de son ministère. C'est pour moi un honneur de pouvoir participer à l'œuvre de Gospel for Asia. »

– Skip Heitzig, pasteur principal de Calvary Chapel of Albuquerque, Albuquerque, Nouveau-Mexique

« K. P. Yohannan dirige l'un des plus grands, sinon le plus grand mouvement missionnaire, œuvrant dans les domaines de l'évangélisation et d'implantation d'églises en Inde. Au fil des années, Gospel for Asia a grandi et s'est établi. Le ministère est maintenant plus équilibré et coopère avec de nombreuses autres agences missionnaires. Gospel for Asia a un impact important en Inde, notamment dans la formation évangélique, les émissions de radio et l'implantation d'églises. »

– Joseph D'souza, directeur général d'Opération Mobilisation en Inde

« *Révolution dans les missions mondiales* est un grand classique de la littérature chrétienne. Il est essentiel pour tous ceux qui veulent accomplir la mission que Jésus-Christ nous a confiée. Nous nous habituons aux perceptions médiocres et apathiques relatives aux missions… et puis le livre de K. P. nous fait voir le sujet sous un autre angle! »

– Paul Blackham, pasteur associé d'All Souls Church, Langham Place, Londres

Le parcours d'un homme pour changer le point de vue d'une génération

Révolution dans les missions mondiales

K.P. Yohannan

Livres gfa
une division de Gospel for Asia
www.gfa.ca/francais

Originalement publié aux États-Unis sous le titre :
Revolution in World Missions

Traduction : Shirley Asselin
Correction : Louis Gerardin

Les citations bibliques sont extraites de la version Louis Segond.

Publié par Livres gfa, une division de Gospel for Asia

Canada
245 King Street East
Stoney Creek, ON L8G 1L9
Téléphone : (905) 662-2101
Télécopieur : (905) 662-8447

États-Unis
1800 Golden Trail Court
Carrollton, TX 75010
Téléphone : (972) 300-7777
Télécopieur : (972) 300-7778

Imprimé au Canada
ISBN 978-1-59589-056-6

1re édition en anglais, juillet 1986
2e édition en anglais, novembre 1986
3e édition en anglais, mai 1987
4e édition en anglais, décembre 1987
5e édition en anglais, juillet 1989
6e édition en anglais, mai 1991
7e édition en anglais, janvier 1992
8e édition en anglais, juin 1992
9e édition en anglais, août 1993
10e édition en anglais, mars 1994
11e édition en anglais, juin 1994
12e édition en anglais, mars 1995
13e édition en anglais, octobre 1995
14e édition en anglais, mai 1996
15e édition en anglais, octobre 1996
16e édition en anglais, mars 1997
17e édition en anglais, juillet 1997
18e édition en anglais, janvier 1998
19e édition en anglais, août 1998
20e édition en anglais, novembre 1998
21e édition en anglais, mars 2000
22e édition en anglais, avril 2001
23e édition en anglais, novembre 2001
24e édition en anglais, juin 2002
25e édition en anglais, octobre 2002
26e édition en anglais, mai 2003
27e édition en anglais, octobre 2003
28e édition en anglais, mars 2004
29e édition en anglais, juillet 2004
30e édition en anglais, janvier 2005
31e édition en anglais, janvier 2006
32e édition en anglais, mai 2007
33e édition en anglais, octobre 2007
34e édition en anglais, novembre 2008
35e édition en anglais, octobre 2009
36e édition en anglais, juin 2010
37e édition en anglais, décembre 2010
38e édition en anglais, octobre 2011
39e édition en anglais, juin 2012
1re édition en français, octobre 2000
2e édition en français, octobre 2008
3e édition en français, mars 2013

Pour de l'information concernant nos autres produits, visitez notre site

Internet : www.gfa.ca/francais

Ce livre est dédié à George Verwer, fondateur et ancien directeur international d'Opération Mobilisation, dont le Seigneur s'est servi pour m'appeler dans l'œuvre. Cet homme, par sa vie et son exemple, m'a influencé plus que toute autre personne.

Table des matières

Avant-propos

Nous sommes tous un peu sceptiques quant aux chrétiens caressant de grands rêves. Nous ne savons trop pourquoi... peut-être en avons-nous trop rencontré qui poursuivaient des visions, mais dont la vie ressemblait à un cauchemar.

Pour notre première rencontre avec K. P. Yohannan, nous l'avions invité à souper. Notre famille avait amené ce petit Indien dans un gymnase d'école secondaire pour un rituel de passage américain : un souper spaghetti avec toute l'école. Assis à une table recouverte d'une nappe en papier, sur laquelle il y avait du pain à l'ail et des centres de table, des sacs à lunch reluisants remplis d'un assortiment d'herbes séchées et de pâtes alimentaires (crées par la famille Mains!), nous avons entendu parler d'un rêve visant à gagner non seulement l'Inde, mais toute l'Asie pour Christ.

Depuis cette soirée dans un bruyant gymnase de Chicago en Illinois, nous avons partagé de nombreuses expériences : des appels téléphoniques de Dallas, des voyages dans les villes et les coins reculés de l'Inde, des conférences pastorales dans des pavillons de bambou aux toits de chaume, des rires, des voyages sur les routes du tiers monde et des temps de prières.

Disons simplement que nous avons appris à croire en K. P.

Nous croyons en son plan d'évangélisation qui, avec profondeur et simplicité, surpasse la complexité de la technologie et met au défi les Asiatiques de donner leur vie pour gagner leurs concitoyens à Christ.

Ce livre, *Révolution dans les missions mondiales*, révèle un des grands plans de Dieu : évangéliser le monde avant la fin des temps. C'est en toute confiance que nous appuyons l'intégrité de son auteur, un homme de Dieu, et l'œuvre de Gospel for Asia nous réjouit.

Vous pouvez lire en étant certains que ces évangélistes qui voyagent dans les villages isolés de l'Asie ont plus de cœur, plus de ferveur et plus de passion pour répandre l'Évangile de Christ que la majorité d'entre nous, qui sommes entourés du confort et des commodités de notre monde occidental.

Nous le savons parce que nous les avons vus, nous leur avons parlé, et ils nous ont fait rougir de honte.

La nouvelle vague de l'effort missionnaire passe par les organisations internationales. Le livre de K. P. Yohannan dépeint le portrait de ce rêve qui devient réalité.

Personnellement, nous ne sommes plus sceptiques en ce qui concerne ce visionnaire. Nous pensons que vous trouverez vous aussi de bonnes raisons de croire en lui.

David et Karen Mains

Remerciements

Des centaines de personnes ont contribué à la réalisation de ce livre. Il y a ceux qui ont donné des suggestions, ceux qui ont offert de l'encouragement et ceux qui ont influencé ma vie et mon ministère. Je tiens à remercier chacune de ces personnes, ainsi que vous qui allez le lire, et je remercie le Seigneur de vous avoir tous placés sur ma route.

Parmi toutes les personnes qui m'ont le plus aidé durant le long processus de rédaction, d'édition et de révision de cet ouvrage, je veux remercier David et Karen Mains ainsi que Gayle Erwin pour leur critique honnête et leur soutien inébranlable tout au long de ce projet. Je dois également un grand merci à Margaret Jordan, à Heidi Chupp et à Katie McCall, qui ont dactylographié le manuscrit. Merci à ma secrétaire, Teresa Chupp, et à son équipe, qui ont travaillé fort sur cette nouvelle édition. Enfin, merci Cindy Young pour la splendide couverture que tu as conçue.

Et je remercie tout spécialement Bob Granholm, ancien directeur exécutif de Frontiers, au Canada, pour ses suggestions de révision qui ont servi à équilibrer et à clarifier certains malentendus.

Plus que tout, bien sûr, je dois beaucoup à ma femme, Gisela, qui a soigneusement lu le manuscrit et formulé des suggestions qui ont fait une grande différence dans certains passages. La rédaction de ce livre a été rendue possible par son soutien émotionnel et spirituel. Sans elle à mes côtés pour m'appuyer et m'encourager durant toutes ces années mouvementées, la rédaction de ce livre – et du message qu'il contient – n'aurait pas été possible.

Introduction

Cette histoire est celle de mon parcours. D'un petit village indien, j'ai atteint les côtes de l'Europe et de l'Amérique du Nord, et j'ai observé la main de Dieu transformer les missions de type colonial en un mouvement de missionnaires nationaux partout au monde. Il s'agit de ma propre histoire, remplie des difficultés que j'ai dû surmonter et de l'aide extraordinaire que Dieu m'a accordée tout au long du trajet. Il est incroyablement fidèle.

L'œuvre missionnaire telle qu'elle est aujourd'hui est différente de ce qu'elle a longtemps été. Au cours des années 80, la plupart des chrétiens évangéliques des pays occidentaux avaient tendance à diviser l'histoire des missions en deux grandes vagues. La première a déferlé sur le monde du Nouveau Testament quand les apôtres ont obéi à la Grande Mission. La seconde vague a débuté au XVIIIe siècle avec l'œuvre pionnière de William Carey en Inde. C'était le début d'un flot de missions qui s'est poursuivi aux XIXe et XXe siècles dans les colonies des grandes puissances européennes.

Mais partout dans le monde, aujourd'hui, le Saint-Esprit agit sur les nations d'Asie et d'Afrique, et des milliers d'hommes et de femmes dévoués se lèvent pour apporter le salut à leur propre peuple. Des millions d'âmes perdues dans les pays fermés n'auraient probablement jamais entendu parler de l'amour de Dieu sans le témoignage de ces personnes. Ces chrétiens natifs d'Asie, humbles pionniers de l'Évangile animés par le Saint-Esprit, reprennent l'étendard de la croix là où les missions de l'ère coloniale se sont arrêtées. Ils font partie de la troisième vague de l'histoire des missions, le mouvement des missionnaires natifs.

Qu'est-ce que cela signifie pour nous? Un défi incroyable nous est lancé pour que nous participions à cette moisson de la fin des temps et que nous joignons nos cœurs à l'œuvre que Dieu accomplit dans le monde. Un appel se fait entendre, nous incitant à nous impliquer et à faire une différence. Je crois fermement que nous verrons cette génération gagnée pour Christ. Nous servons tous un seul Roi et un seul royaume. J'espère que ce livre suscitera plus d'unité et de collaboration au sein du peuple de Dieu, afin qu'ensemble, nous cherchions à nous soumettre à sa volonté.

Un

Ce n'est que le début

Le silence de la grande salle à Cochin n'était brisé que par de doux sanglots étouffés. L'Esprit de Dieu remplissait la salle avec puissance, révélant leur péché à des hommes et des femmes qu'il appelait à son service. Avant la fin de la rencontre, 120 des 1200 pasteurs et leaders chrétiens présents se sont avancés près de l'autel pour répondre à « l'appel du Nord ».

Ils ne disaient pas : « Je veux y aller », mais bien : « J'y vais ».

Ils ont fait le choix de quitter maison, village et famille, entreprise ou carrière pour aller là où ils seraient haïs et craints. Entre-temps, 600 autres pasteurs se sont engagés à retourner dans leur congrégation pour inciter davantage de missionnaires à quitter le sud de l'Inde pour aller au nord.

Je me tenais muet dans un saint silence, priant pour les pasteurs rassemblés autour de l'autel. Je me sentais très humble dans la présence de Dieu.

Pendant que je priais, mon cœur était triste pour ces hommes. Combien seraient battus, combien auraient faim et froid, et combien connaîtraient la solitude au fil des années? Combien d'entre eux seraient emprisonnés à cause de leur foi? J'ai prié Dieu pour qu'il leur accorde sa protection et sa bénédiction, et pour qu'un plus grand nombre de donateurs d'outre-mer apportent leur soutien.

Ils abandonnaient le confort matériel, leurs attaches familiales et leurs ambitions personnelles. Une nouvelle vie avec des étrangers les attendait. Mais je savais aussi qu'ils seraient témoins d'une victoire spirituelle lorsque des milliers de gens se tourneraient vers le Christ et aideraient à fonder de nouvelles Églises dans les villages éloignés du nord de l'Inde.

David Mains, un animateur de radio aux États-Unis et un étudiant sérieux des réveils spirituels, était avec moi lors de cette rencontre. Il était venu à Cochin en tant que conférencier. Par la suite, il a témoigné de la manière étonnante dont le Seigneur avait dirigé cette réunion.

Plus tard, il a écrit : « Cela n'aurait pratiquement pas été différent si Jésus lui-même avait été physiquement présent parmi nous. L'esprit d'adoration inondait la salle. Les chants étaient électrisants. La puissance de l'Esprit Saint est descendue sur l'auditoire. Des hommes sont même allés jusqu'à gémir à voix haute. J'avais lu à propos de ce genre d'élan de conviction dans l'histoire des débuts de l'Amérique, au cours des deux grands réveils, mais je n'avais jamais pensé vivre un jour une telle expérience. »

Mais le Seigneur n'appelle pas seulement de grandes foules de missionnaires natifs. Dieu est à l'œuvre en sauvant des gens en nombres tels que nous n'aurions jamais pu l'imaginer. Les gens en Asie viennent à Christ à un rythme accéléré, partout où le salut est proclamé. Dans certains pays, comme en Inde, en Malaisie, au Myanmar et en Thaïlande, il n'est pas rare pour la communauté chrétienne de croître autant en un seul mois qu'elle le faisait auparavant en un an.

La presse occidentale minimise l'importance des conversions en masse et de la croissance de l'Église. L'excitante réalité de ce que Dieu fait en Asie n'a pas encore été racontée, principalement à cause de l'accès limité de la presse dans ces régions. À l'exception de quelques pays comme la Corée et les Philippines, la véritable histoire n'est pas connue.

Le ministère d'un frère du sud de l'Inde est l'exemple typique des mouvements de missionnaires natifs en Asie qui sont apparus du jour au lendemain. Un officier militaire a abandonné une vocation et une carrière dans l'armée pour aider à former une équipe d'évangélistes dans le nord de l'Inde. Il dirige maintenant une équipe de plus de 400 missionnaires qui œuvrent à plein temps.

Comme d'autres leaders de missions locales, il a formé dix « Timothée » qui dirigent maintenant l'œuvre avec une précision presque militaire. Chacun de ces hommes sera capable à son tour de diriger des dizaines d'autres ouvriers qui auront leurs propres disciples.

Avec sa femme, il a établi un modèle apostolique semblable à celui de l'apôtre Paul. Lors d'une tournée évangélique qui a duré 53 jours, sa famille et lui ont voyagé à bord d'un char à bœufs, et à pied, dans les régions les plus reculées des districts tribaux de l'État de l'Orissa. Là, œuvrant dans la chaleur intense parmi des peuples au mode de vie extrêmement primitif, il a observé des centaines de personnes venir à Christ. Durant leur voyage, des démons étaient chassés et des guérisons miraculeuses avaient lieu quotidiennement. Des milliers de gens parmi ces tribus, esclaves des idoles et adorateurs d'esprits, ont reçu l'Évangile avec passion.

En un mois seulement, ce frère a formé quinze nouvelles Églises et a chargé des missionnaires natifs de rester là pour aider les nouveaux croyants à grandir dans la foi.

Des mouvements miraculeux de ce genre émergent dans presque tous les États de l'Inde et dans d'autres pays d'Asie.

Jesu Das, un missionnaire natif de l'Asie, était horrifié lorsqu'il s'est rendu pour la première fois dans un village et qu'il n'y a trouvé aucun croyant. Les gens adoraient tous des centaines de dieux différents et quatre prêtres les dominaient par leur sorcellerie.

On racontait que ces prêtres avaient recours à leur sorcellerie pour tuer les bœufs des gens et détruire leurs récoltes. Des gens tombaient malades subitement et mourraient sans explication. La destruction et l'esclavage dont ces villageois étaient victimes sont inimaginables. Des cicatrices, la flétrissure et la mort marquaient leurs visages, à cause de la domination totale qu'exerçaient sur eux les puissances des ténèbres.

Quand Jesu Das leur a parlé de Christ, c'était la première fois qu'ils entendaient parler d'un Dieu qui n'exige pas qu'on lui offre des sacrifices et qu'on lui fasse des offrandes pour apaiser sa colère. Beaucoup ont connu le Seigneur en entendant Jesu Das prêcher au marché public.

Mais les prêtres, furieux, ont averti Jesu Das que, s'il ne quittait pas leur village, ils feraient appel à leurs dieux pour qu'ils viennent le tuer, ainsi que sa femme et ses enfants. Jesu Das n'est pas parti. Il a continué de prêcher et Dieu continuait de sauver les villageois.

Finalement, au bout de quelques semaines, les sorciers sont allés voir Jesu Das pour lui demander le secret de sa force.

« C'est la première fois que notre pouvoir ne fonctionne pas », lui ont-ils avoué. « Après avoir fait des incantations, nous avons demandé aux esprits de tuer votre famille. Mais les esprits sont revenus nous dire qu'il leur était impossible d'approcher de votre famille parce qu'elle était toujours entourée de feu. Nous avons ensuite appelé des esprits plus puissants, mais ils sont aussi revenus nous dire que, non seulement vous étiez entourés de feu, mais que des anges étaient constamment à vos côtés. »

Jesu Das a parlé de Christ aux sorciers. Le Saint-Esprit a convaincu chacun d'eux du péché qu'ils avaient commis en suivant des démons, et du jugement à venir. C'est en pleurant qu'ils se sont repentis et qu'ils ont reçu Jésus-Christ comme Seigneur.

À la suite de cela, des centaines de villageois ont été libérés du péché et de l'esclavage.

Par l'entremise d'une organisation indigène en Thaïlande, où plus de 200 missionnaires natifs font de l'évangélisation dans les villages, un groupe a partagé sa foi avec 10 463 personnes en deux mois. De ces personnes, 171 ont donné leur vie à Christ, et six nouvelles églises ont été fondées. Durant cette même période, plus de 1000 autres personnes sont venues à Christ. Souvenons-nous que cette grande récolte s'est produite dans une nation bouddhiste qui n'a encore jamais vu de tels résultats.

Chaque jour, des rapports documentés similaires nous arrivent des équipes de missionnaires natifs dans presque toutes les nations de l'Asie. Mais je suis convaincu que ce ne sont là que les premières gouttes de pluie d'un réveil spirituel imminent. Il nous faut envoyer encore des centaines de milliers d'ouvriers pour obtenir l'impact désiré. Nous ne prions plus pour la « pluie de bénédictions » annoncée par les prophètes. Je crois plutôt que Dieu nous enverra des « orages de bénédictions » dans les jours à venir.

Ce livre raconte l'histoire de ma participation à ce renouveau spirituel en Asie. Et tout a débuté par les prières d'une humble mère dans un village.

Deux

« Ô Dieu, fais qu'un de mes fils prêche! »

Les yeux d'Achyamma brûlaient de larmes salées, mais ce n'était pas à cause de la fumée ni des épices fortes qui s'échappaient de la casserole. Elle réalisait que le temps filait. Comme ses six fils grandissaient, elle n'aurait bientôt plus d'influence sur eux et aucun d'eux ne démontrait d'intérêt pour le ministère de l'Évangile.

À l'exception du plus jeune – j'étais connu sous le nom du petit « Yohannachan », – il apparaissait que tous ses enfants se dirigeaient vers un travail séculier. Mes frères semblaient satisfaits de vivre et de travailler dans les alentours de notre village de Niranam, au Kerala, dans le sud de l'Inde.

Elle priait désespérément : « Ô Dieu, fais qu'un de mes fils prêche! » Comme Anne et de nombreuses autres saintes femmes de la Bible, ma mère avait consacré ses enfants au Seigneur. Ce matin-là, pendant qu'elle préparait le petit déjeuner, elle a fait le serment de jeûner en secret jusqu'à ce que Dieu appelle un de ses fils à son service. Chaque vendredi, pendant les trois années et demie qui ont suivi, elle a jeûné. Sa prière était toujours la même.

Mais il ne se passait rien. Finalement, il ne restait plus que moi, petit et maigre, le bébé de la famille. Il semblait peu probable que je prêche un jour. Même si je m'étais levé lors d'une réunion d'évangélisation à l'âge de huit ans, j'étais timide et je gardais plutôt ma foi pour moi-même. Je ne démontrais aucun leadership et j'évitais les sports et tous les évènements scolaires. Me contentant d'un minimum de participation dans la vie de la famille et du village, j'étais une silhouette obscure qu'on remarquait à peine.

Puis, alors que j'avais seize ans, les prières de ma mère ont été exaucées. Une équipe d'Opération Mobilisation est venue présenter à notre église le défi du lointain nord de l'Inde. Mon petit corps d'une quarantaine de kilos s'efforçait de saisir chaque mot que l'équipe disait en montrant des diapositives du Nord.

Ils parlaient des lapidations et des coups qu'ils avaient reçus en prêchant Christ dans les villages païens du Rajasthan et du Bihar, sur les plaines chaudes et arides du nord de l'Inde.

Parce qu'elles sont isolées du reste de l'Inde, derrière les hauts sommets montagneux des Ghâts occidentaux, je ne connaissais que les forêts riches et denses du Kerala, sur la côte Malabar. La communauté chrétienne de cette région est la plus vieille de l'Inde. Elle a été fondée durant la période du commerce maritime du golfe Persique, qui a permis à l'apôtre Thomas de venir annoncer la Bonne Nouvelle en l'an 52 à Cranagore. D'autres Juifs y étaient déjà installés, étant arrivés 200 ans auparavant. Le reste de l'Inde semblait incroyablement loin au peuple de la côte sud-ouest, qui parle le malayalam, et je faisais aussi partie de ceux-là.

Pendant que l'équipe d'évangélistes traçait le portrait de la condition désespérée du reste du pays (500 000 villages sans témoins de l'Évangile), j'ai ressenti une grande tristesse pour les âmes perdues. Ce jour-là, j'ai pris l'engagement d'apporter la Bonne Nouvelle de Jésus-Christ à tous ces étranges et mystérieux États du Nord. À cause du défi de « tout abandonner et de suivre Christ », j'ai fait en quelque sorte le grand saut, en acceptant de me joindre au groupe d'étudiants pour une courte croisade estivale dans les régions éloignées du nord de l'Inde.

Ma décision d'entrer dans le ministère est en grande partie due aux prières de ma mère et à sa foi. Même si je n'avais pas encore reçu ce qui s'avérerait plus tard être mon véritable appel du Seigneur, ma mère m'a encouragé à suivre mon cœur. Lorsque je lui ai fait part de ma décision, sans dire un mot, elle m'a donné 25 roupies, qui étaient le prix d'un billet de train. Je suis parti pour m'engager, au siège social de la mission à Trivandrum.

C'est là que j'ai été repoussé pour la première fois. Parce que je n'avais pas l'âge requis, les directeurs ont refusé au début de me laisser aller dans le Nord. Toutefois, on m'a permis d'assister à la conférence annuelle de formation à Bangalore, au Karnataka. C'est lors de cette conférence que j'ai entendu pour la première fois George Verwer, un missionnaire très diplomate, qui m'a lancé le défi, comme jamais on ne l'avait fait auparavant, de m'engager dans une vie de formation de disciples extraordinaire et radicale. J'étais impressionné de voir comment Verwer avait fait passer la volonté de Dieu pour le service auprès du monde perdu avant sa carrière, sa famille et lui-même.

Seul dans mon lit, cette nuit-là, j'ai lutté contre Dieu et contre ma propre conscience. À deux heures du matin, mon oreiller était trempé de larmes et de sueur, et je tremblais de peur. Et si Dieu me demandait de prêcher dans les rues? Comment pourrais-je me lever et parler en public? Et si j'étais lapidé ou battu?

Je me connaissais trop bien. J'arrivais à peine à regarder un ami dans les yeux durant une conversation, alors comment ferais-je pour parler publiquement à des foules hostiles au nom de Dieu? Au moment où je prononçais ces paroles, j'ai réalisé que je réagissais de la même manière que Moïse l'avait fait quand il a reçu l'appel de Dieu.

Tout à coup, j'ai senti que je n'étais plus seul dans la chambre. Une grande sensation d'amour et d'être moi-même aimé remplissait la pièce. J'ai senti la présence de Dieu et je suis tombé à genoux à côté du lit.

« Seigneur Dieu, je m'offre pour parler en ton nom, mais aide-moi à savoir que tu es avec moi », lui ai-je dit d'une voix entrecoupée en me soumettant à sa présence et sa volonté.

Au matin, je me suis éveillé à un monde soudainement différent. Alors que je marchais à l'extérieur, les rues indiennes m'offraient la même scène qu'auparavant : des enfants couraient entre les jambes des gens et des vaches, les cochons et les poules se promenaient librement, et des vendeurs portaient sur leur tête des paniers de fruits et de fleurs aux couleurs vives. Je les aimais tous d'un amour surnaturel et inconditionnel jamais ressenti avant ce jour. C'était comme si Dieu avait enlevé mes yeux et les avait remplacés par les siens afin que je puisse voir les gens comme le Père céleste les voyait, c'est-à-dire perdus et dans le besoin, mais ayant un potentiel pour le glorifier et lui ressembler.

J'ai marché jusqu'à la gare d'autobus, les yeux remplis de larmes d'amour. Je savais que ces personnes iraient toutes en enfer, et je savais que ce n'était pas ce que Dieu voulait. Soudainement, je portais un tel fardeau pour cette foule que j'ai dû m'arrêter et m'appuyer contre un mur pour ne pas perdre l'équilibre. C'était cela : je savais que je ressentais le même amour que Dieu ressent pour toutes les âmes perdues de l'Inde. Son amour vibrait dans mon cœur, et j'arrivais à peine à respirer. J'étais très nerveux. Je faisais les cent pas impatiemment pour éviter de claquer des genoux.

« Seigneur, si tu veux que je fasse quelque chose, dis-le et donne-moi le courage d'agir », ai-je crié.

En ouvrant les yeux, j'ai vu une énorme pierre. J'ai su immédiatement que je devais monter dessus et évangéliser la foule à la station d'autobus. En grimpant, j'ai ressenti comme une force de 10 000 volts d'électricité traverser mon corps.

J'ai commencé par chanter un simple chant d'enfant. C'était tout ce que je connaissais. À la fin du chant, une foule se tenait au pied de la pierre. Je ne m'étais pas préparé à parler, mais tout à coup, Dieu a pris la relève et a mis dans ma bouche ses mots d'amour. J'ai prêché l'Évangile aux pauvres comme Jésus l'avait ordonné à ses disciples. L'autorité et la puissance de Dieu coulaient en moi, me donnant une assurance surnaturelle. Des mots que je ne croyais pas connaître sortaient de ma bouche avec une force qui venait manifestement d'en haut.

Des membres de l'équipe d'évangélistes sont venus m'écouter. On n'a plus jamais remis en question mon âge et mon appel. C'était en 1966, et j'ai ensuite voyagé avec les équipes d'évangélisation ambulantes pendant les sept années suivantes. Nous avons voyagé partout dans le nord de l'Inde, ne restant jamais bien longtemps dans un même village. Partout où nous allions, je prêchais dans les rues tandis que les autres distribuaient des livres et des tracts. Occasionnellement, dans les petits villages, nous allions témoigner de maison en maison.

Mon amour pressant et irrésistible pour les pauvres villageois de l'Inde ne cessait de grandir avec les années. Les gens ont même commencé à me surnommer « l'homme de Gandhi », en référence au père de l'Inde moderne, Mahatma Gandhi. Comme lui, j'ai réalisé, sans qu'on ait jamais eu à me le dire, que, si les villageois de l'Inde devaient un jour connaître l'amour de Jésus, il fallait que cela leur soit annoncé par des natifs à la peau brune qui les aimaient.

À mesure que je lisais les évangiles, il est devenu clair pour moi que Jésus comprenait bien le principe d'œuvrer auprès des pauvres. Il évitait les grandes villes, les gens riches, célèbres et puissants, concentrant son ministère sur la pauvre classe ouvrière. Si nous évangélisons les pauvres, nous aurons touché la grande majorité des gens de l'Asie.

La guerre contre la faim et la pauvreté représente vraiment

un combat spirituel et non une lutte d'ordre physique ou social comme le monde séculier voudrait bien nous le faire croire.

La seule arme qui permettra de vaincre efficacement la maladie, la faim, l'injustice et la pauvreté en Asie, c'est l'Évangile de Jésus-Christ. Regarder dans les yeux tristes d'un enfant affamé ou voir la vie gâchée d'un toxicomane, c'est voir l'évidence de l'emprise de Satan sur ce monde. Tout ce qui est mal, que ce soit en Asie ou en Amérique, est l'œuvre de ses mains. Il est l'ennemi juré de l'humanité, et il fera tout son possible pour tuer et détruire les êtres humains. Combattre ce puissant ennemi par des moyens physiques revient à essayer de se battre contre un char d'assaut avec des cailloux.

Je n'oublierai jamais cette rencontre, parmi les plus étonnantes, que j'ai faites avec ces puissances démoniaques. C'était par une journée très chaude et particulièrement humide de 1970. Nous prêchions dans l'État du Rajasthan, dans le nord-ouest de l'Inde… dans le « désert des rois ».

Comme c'était notre habitude avant une réunion dans les rues, mes sept confrères et moi nous tenions en cercle, chantant et tapant des mains au rythme de cantiques chrétiens traditionnels. Une foule considérable s'était réunie, et j'ai commencé à parler en hindi, la langue locale. Beaucoup ont entendu l'Évangile pour la première fois et ont accepté avec empressement nos petits Évangiles et nos tracts.

Un jeune homme est venu me voir et m'a demandé un livre. En lui parlant, j'ai senti dans mon esprit qu'il avait soif de connaître Dieu. Au moment où nous allions monter à bord de notre camionnette d'évangélisation, il a demandé à venir avec nous.

Quand la camionnette s'est mise en route, le jeune homme a commencé à hurler et à gémir : « Je suis un ignoble pécheur! Comment puis-je rester assis parmi vous? » Et puis, il a tenté de sauter de la camionnette en mouvement. Nous l'avons saisi et retenu sur le plancher pour l'empêcher de se blesser.

Ce soir-là, il est resté dans notre camp et le lendemain matin, il est venu prier avec nous. Subitement, pendant notre temps de louanges et de prières, nous avons entendu un grand cri. Le jeune homme était étendu par terre, la langue pendante et les yeux tournés à l'envers.

En tant que chrétiens dans une nation païenne, nous avons tout de suite su qu'il était possédé d'un démon. Nous avons formé un cercle autour de lui et avons commencé à prendre autorité sur les puissances de l'enfer qui parlaient par sa bouche.

« Nous sommes 74… depuis sept ans, nous l'avons fait marcher pieds nus d'un bout à l'autre de l'Inde. Il nous appartient… » Et les démons ont poursuivi, nous provoquant et défiant notre autorité en blasphémant et en nous maudissant.

Mais pendant que trois d'entre nous priaient, les démons ne réussissaient plus à maintenir leur emprise sur le jeune homme. Ils sont sortis lorsque nous leur avons ordonné de partir au nom de Jésus.

Sundar John a été délivré, a donné sa vie à Jésus et s'est fait baptiser. Plus tard, il est allé à l'école biblique. Depuis, le Seigneur a permis qu'il enseigne et qu'il parle de Christ à des milliers de personnes. Plusieurs églises locales ont été fondées grâce à son remarquable ministère. Et tout cela a commencé avec un homme que bien des gens auraient fait enfermer dans un hôpital psychiatrique. Il y a littéralement des millions de personnes comme lui en Asie, trompées par les démons et esclaves de leurs horribles passions et désirs charnels.

Des miracles comme celui-là m'ont aidé à aller de village en village durant mes sept années de ministère itinérant. Nos vies ressemblaient aux histoires du livre des Actes des apôtres. La plupart du temps, nous dormions dans des fossés entre les villages, où nous étions relativement en sécurité. Dormir dans des villages païens nous aurait exposés à de sérieux dangers. La présence de notre équipe suscitait toujours de l'émoi, et nous avons même été lapidés et battus à quelques reprises.

Les équipes d'évangélisation ambulantes avec lesquelles je voyageais, et que j'ai souvent dirigées, étaient comme une famille pour moi. Cette vie de Fème, et l'abandon total à la cause de Christ qu'exige la vie d'un évangéliste itinérant commençait à me plaire. Nous étions persécutés, haïs et méprisés. Néanmoins, nous avons continué, sachant que nous tracions un chemin pour l'Évangile dans des régions où personne n'avait encore rencontré Christ.

La ville de Bhundi au Rajasthan est un de ces endroits. C'est dans cette ville que, pour la première fois, j'ai été battu et lapidé pour avoir prêché l'Évangile. Souvent, on détruisait nos livres et nos tracts. Il semblait que des foules étaient toujours aux aguets autour de nous, et ils ont interrompu six de nos rencontres. Nos chefs d'équipes sont partis prêcher ailleurs, évitant autant que possible la ville de Bhundi. Trois ans plus tard, une nouvelle équipe de missionnaires natifs de l'Asie, sous un autre leadership, est venue s'installer dans la région et a recommencé à prêcher dans ce carrefour passant.

Aussitôt qu'ils sont arrivés dans la ville, un homme s'est mis à déchirer leur documentation et a pris à la gorge un jeune missionnaire de 19 ans, du nom de Samuel. Quoique sévèrement battu, Samuel s'est agenouillé au milieu de la rue et a prié pour le salut des gens dans cette ville hostile.

« Seigneur, a-t-il prié, je veux revenir te servir ici, à Bhundi. Je suis prêt à mourir ici, mais je désire revenir te servir dans ce lieu. »

Plusieurs leaders chrétiens plus âgés lui ont déconseillé de faire cela, mais il était bien déterminé. Il est retourné à Bhundi et a loué une petite chambre. Il a reçu des cargaisons de documentation et a prêché en dépit de nombreuses difficultés. Aujourd'hui, plus de cent personnes se réunissent dans une petite église de la région. Ceux qui à l'époque nous avaient persécutés adorent maintenant le Seigneur Jésus, tout comme c'était le cas pour l'apôtre Paul.

C'est le genre d'engagement et de foi qui est nécessaire pour annoncer la Bonne Nouvelle de Jésus-Christ au monde.

En une occasion, nous sommes arrivés dans une ville au lever du jour pour prêcher, mais on nous attendait déjà. Les gens du village où nous avions prêché la veille les avaient prévenus de notre arrivée.

En prenant le thé du matin dans une cantine, le chef politique de la place m'a approché poliment. D'une voix grave, qui traduisait peu d'émotion, il a dit :

« Vous avez cinq minutes pour prendre votre véhicule et partir d'ici, sinon, nous vous brûlerons avec votre camion. »

Je savais qu'il était sérieux, il était accompagné d'une foule menaçante. Même si ce jour-là nous avons « secoué la poussière de nos pieds », aujourd'hui, il y a une Église dans ce village. Nous devons prendre des risques si nous voulons semer l'Évangile.

Pendant des mois, j'ai voyagé sur les routes poussiéreuses dans la chaleur du jour et j'ai frissonné durant les nuits froides, souffrant comme des milliers de missionnaires natifs souffrent aujourd'hui pour apporter l'Évangile aux perdus. Bien des années après cela, en repensant à ces sept années d'évangélisation dans les villages, j'ai constaté qu'elles représentaient l'une des plus grandes expériences d'apprentissage de ma vie. Nous marchions sur les pas de Jésus, l'incarnant et le représentant auprès des multitudes qui n'avaient encore jamais entendu l'Évangile.

Ma vie était frénétique; j'étais trop occupé et émerveillé par l'œuvre de l'Évangile pour vraiment réfléchir à l'avenir. Il y avait toujours une autre croisade à venir. Mais j'arrivais à un tournant de ma vie.

Trois

La semence de changements à venir

En 1971, à Singapour, j'ai été invité à passer un mois dans un nouvel institut fondé par John Haggai. L'établissement, qui n'en était encore qu'à ses débuts, était un lieu pour former les dirigeants d'Églises asiatiques et les encourager à témoigner pour Christ.

Haggai connaissait beaucoup d'histoires. Dans chacune d'elles, les chrétiens étaient toujours des vainqueurs et des géants, des hommes et des femmes qui avaient reçu une vision de Dieu et refusaient de l'abandonner. L'attachement à son appel était une vertu très estimée.

Haggai est le premier homme à avoir réussi à me faire croire que rien n'est impossible à Dieu. Avec le temps, j'ai compris que Haggai refusait d'accepter l'impossible. Les limites que les autres acceptaient habituellement n'existaient pas pour lui. Il considérait tout d'une manière globale et selon la perspective de Dieu, refusant d'accepter le péché. Si le monde n'est pas évangélisé, pourquoi ne pas le faire? Si les gens ont faim, que pouvons-nous faire? Haggai refusait d'accepter le monde tel qu'il est. Et j'ai découvert qu'il était prêt à accepter la responsabilité personnelle de devenir un agent de changement.

Vers la fin de mon séjour à l'institut, John Haggai m'a exhorté à faire la plus douloureuse introspection que j'aie jamais eue à faire. Je sais maintenant que cette expérience a provoqué en moi une agitation qui a duré des années et qui m'a finalement poussé à quitter l'Inde pour aller outre-mer à la recherche du but ultime de Dieu pour ma vie.

Au début, le défi de Haggai me paraissait simple. Il m'a demandé d'aller dans ma chambre et d'écrire en une seule phrase la chose la plus importante que j'allais faire du reste de ma vie. Il a souligné que cela ne devait pas être de nature égoïste ou futile. De plus, je devais avoir comme but de glorifier Dieu.

Je suis allé à ma chambre pour écrire cette phrase, mais pendant des heures et des jours, ma feuille de papier est demeurée blanche. Inquiet à l'idée de ne pas pouvoir atteindre mon plein potentiel en Christ, j'ai commencé à réévaluer chaque aspect de mon ministère et de ma vie. J'ai quitté la conférence avec cette question qui résonnait toujours dans mes oreilles, et, durant des années, j'ai continué d'entendre les paroles de John Haggai : « Une chose… par la grâce de Dieu, tu dois faire une chose. »

À mon départ de Singapour, je me considérais pour la première fois comme un individu. Jusqu'à ce jour, comme la plupart des Asiatiques, je m'étais vu comme faisant partie d'un groupe, soit ma famille ou l'équipe d'évangélisation. Même si je n'avais aucune idée de l'œuvre que Dieu avait en réserve pour moi comme individu, j'ai commencé à penser que je pourrais lui offrir le

« meilleur de moi-même ». Les graines d'un changement à venir avaient été semées, et rien ne pouvait arrêter les tempêtes à l'horizon.

Même si ma grande passion demeurait centrée autour des villages isolés du Nord, je voyageais maintenant partout en Inde.

Au cours d'une tournée de conférences en 1973, on m'a invité à enseigner à une réunion de formation d'Opération

Mobilisation, à Chennai (anciennement Madras). C'est là que, pour la première fois, j'ai été attiré par cette Allemande. Elle était étudiante dans une de mes classes et sa foi simple m'impressionnait. Je me suis mis à penser que, si elle avait été Indienne, elle serait le genre de femme que j'aimerais épouser un jour.

Un jour, nos regards se sont croisés et sont restés accrochés un court moment, jusqu'à ce que je décide consciemment de rompre le charme en sortant rapidement de la pièce. Je n'étais pas à l'aise dans de tels rapports hommes femmes. Dans notre culture, les personnes seules se parlent rarement. Même dans l'église et dans les équipes d'évangélisation, les personnes de sexes opposés sont rigoureusement séparées.

Étant certain de ne plus jamais la revoir, j'ai chassé de ma tête l'image de cette belle Allemande. Mais je pensais au mariage. J'avais dressé une liste des six qualités que la femme que j'allais marier devrait posséder et je priais fréquemment pour que le bon choix soit fait pour moi.

Bien sûr, en Inde les mariages sont arrangés par les parents et il faudrait que j'aie confiance en leur jugement dans leur choix de ma partenaire pour la vie. Je me demandais où mes parents trouveraient une femme prête à accepter ma vie d'itinérant et mon engagement à l'œuvre de l'Évangile. Toutefois, la conférence s'est terminée et ces pensées ont vite été remplacées par les projets d'évangélisation pour la saison estivale.

Cet été-là, avec quelques confrères, nous sommes retournés dans tous les villages du Punjab que nous avions visités au cours des années précédentes. Je m'étais déjà rendu plusieurs fois dans cet État et j'étais impatient de voir le fruit de notre ministère.

Cette région nourricière de l'Inde, avec sa population de 24 millions d'habitants, est dominée par des Sikhs à turbans, des gens férocement indépendants et bons travailleurs, qui ont toujours fait partie de la caste des guerriers.

Avant la séparation de l'Inde et du Pakistan, l'État comptait également une grande population de musulmans. Elle est encore l'une des régions les moins évangélisées et des plus négligées du monde.

Nous avions voyagé et prêché dans les rues de centaines de villes et de villages de cet État au cours des deux années précédentes. Bien que des missionnaires britanniques aient construit beaucoup d'hôpitaux et d'écoles dans cet État, il y avait encore très peu de congrégations de croyants. Les Sikhs, qui sont fortement nationalistes, s'entêtaient à refuser de s'intéresser au christianisme parce qu'ils l'associaient au colonialisme britannique.

Je voyageais avec une équipe de plusieurs hommes. Une autre équipe (de femmes) avait aussi été envoyée dans l'État, et travaillait à partir de Jullundur.

En route vers le nord, où je devais rejoindre l'équipe d'hommes que je dirigerais, je me suis arrêté au siège social du nord de l'Inde, à New Delhi.

À ma grande surprise, l'Allemande était là. Cette fois, elle était vêtue d'un sari, un vêtement traditionnel très populaire dans notre pays. J'ai appris qu'elle aussi avait été assignée au Punjab pour l'été, avec l'équipe des femmes.

Le directeur local m'a demandé de la conduire dans le Nord, jusqu'à Jullundur. Nous avons donc voyagé dans la même fourgonnette. J'ai appris que son nom était Gisela et plus je la découvrais, plus elle m'enchantait. Elle mangeait la nourriture, buvait l'eau et respectait inconsciemment toutes les règles de notre culture. Les quelques paroles que nous avons échangées portaient sur la spiritualité et les villages perdus de l'Inde. J'ai vite réalisé que j'avais trouvé mon âme sœur, qui partageait ma vision et mon appel.

L'amour romantique, pour la plupart des Indiens, est quelque chose qu'on lit seulement dans les livres d'histoire. Les films plus osés, quoiqu'ils traitent souvent de ce concept, prennent toujours soin de finir selon la tradition indienne. Je me retrouvais donc avec le problème de lui avouer mon amour interdit et impossible. Je n'en ai rien dit à Gisela, bien entendu. Cependant, quelque chose dans ses yeux me disait que nous nous comprenions mutuellement. Était-ce Dieu qui voulait nous réunir?

Dans quelques heures, nous serions de nouveau séparés, et je me suis rappelé que j'avais d'autres choses à faire. De toute manière, après l'été, Gisela retournerait en Allemagne et je ne la reverrais probablement plus jamais. Étonnement, nous nous sommes croisés à quelques reprises au cours de l'été. Chaque fois, je sentais que mon amour pour elle grandissait. Puis, j'ai pris le risque de lui exprimer mon amour dans une lettre.

Pendant ce temps, le recensement du Punjab me brisait le cœur. De village en village, nous constations que la documentation et l'enseignement que nous y avions apportés semblaient n'avoir produit aucun effet durable. Le fruit n'avait pas subsisté. La plupart des villages semblaient aussi illettrés et perdus que jamais. Les gens vivaient toujours dans la maladie, la pauvreté et la souffrance. Il me semblait que l'Évangile n'avait pas pris racine.

Dans une ville, je me sentais tellement désespéré que je me suis assis sur le trottoir et j'ai pleuré. J'ai sangloté comme un bébé.

Un démon raillait à mon oreille : « Tes efforts ne servent à rien. Tes paroles coulent sur ces gens comme de l'eau sur le dos d'un canard! » Sans me rendre compte que je m'épuisais, et sans comprendre ce qui se passait dans ma vie spirituelle, je suis tombé en panne d'énergie. Comme Jonas et Élie, j'étais trop épuisé pour continuer. Je ne voyais qu'une chose : le fruit de mon labeur se perdait. Plus que jamais, j'avais besoin de prendre du temps pour réévaluer mon ministère.

J'ai correspondu avec Gisela, qui, entre-temps, était retournée en Allemagne. J'ai décidé que je prendrais deux années de congé de mon travail pour étudier et faire des choix concernant ma vocation et la possibilité de me marier.

J'ai commencé à envoyer des lettres à l'étranger, car j'étais intéressé à aller étudier dans une école biblique en Angleterre. J'avais aussi reçu des invitations pour aller prêcher dans des églises en Allemagne. En décembre, j'ai pris un billet d'avion pour aller passer Noël en Europe dans la famille de Gisela.

C'est alors que j'ai ressenti les premières secousses d'un choc culturel comparable à un tremblement de terre. La neige tombait et il était évident pour tous, c'est-à-dire tous sauf moi, que je devrais bientôt m'acheter un manteau et des bottes d'hiver. J'ai été traumatisé en voyant le prix de ces articles. Pour le prix de mon manteau et de mes bottes en Allemagne, j'aurais pu vivre très confortablement en Inde pendant des mois.

Le concept de vivre par la foi était difficile à accepter pour les parents de Gisela. Cet évangéliste itinérant indien sans le sou, insistant sur le fait qu'il voulait aller étudier, mais ne sachant trop où, demandait maintenant la main de leur fille.

Mais un à un, les miracles se sont produits, et Dieu a pourvu à tous ces besoins.

Pour commencer, j'ai reçu une lettre de E. A. Gresham, un pur étranger de Dallas, au Texas. Il était le directeur régional de Fellowship of Christian Athletes (la confrérie des athlètes chrétiens). Un ami écossais lui avait parlé de moi et il m'a invité à venir étudier pour deux ans au Criswell Bible Institute (institut biblique de Criswell) de Dallas, aux États-Unis. J'ai accepté et, avec l'argent qui me restait, j'ai réservé une place sur le vol le moins cher pour New York.

Ce vol s'avérerait être un autre miracle. N'étant pas au courant que j'avais besoin d'un visa d'étudiant, j'ai acheté un billet non remboursable. Si je manquais le vol, je perdais ma place et le billet.

Avec le petit peu de foi qu'il me restait, j'ai prié Dieu d'intervenir et de trouver un moyen pour que j'obtienne le visa. Pendant que je priais, un ami à Dallas a senti que Dieu le poussait à sortir de sa voiture, à retourner dans son bureau, à remplir les formulaires et à les apporter lui-même au bureau de poste. Par une série de « coïncidences » divines, les documents sont arrivés quelques heures seulement avant l'heure limite.

Avant mon départ pour l'Amérique, Gisela et moi nous sommes fiancés. Cependant, je suis parti seul pour le séminaire, sans savoir quand nous nous reverrions.

Quatre

J'étais saisi d'étonnement

En changeant d'avion pour Dallas à l'aéroport international JFK à New York, j'ai été stupéfait par tout ce que je voyais et entendais autour de moi. Les gens qui vivent en Europe et en Asie entendent parler de l'abondance et de la prospérité des États-Unis, mais tant qu'ils n'en ont rien vu, ces histoires leur semblent des contes de fées.

Non seulement les Américains sont ignorants de leur richesse, mais ils donnent parfois même l'impression de la mépriser. J'ai trouvé un fauteuil pour m'asseoir et j'ai regardé avec étonnement la façon dont les gens traitaient leurs beaux vêtements et leurs belles chaussures. La richesse des tissus et des couleurs surpassait tout ce que je n'avais jamais vu. Comme je le découvrirais encore et encore, cette nation tient pour acquise son incroyable fortune.

Et comme je l'ai fait plusieurs fois, presque quotidiennement, au cours des semaines qui ont suivi, je comparais leurs vêtements à ceux des missionnaires-évangélistes que j'avais quittés quelques semaines auparavant. Plusieurs d'entre eux vont pieds nus de village en village ou travaillent en sandales de piètre qualité. Leurs vêtements de coton usés ne serviraient même pas de chiffons aux États-Unis. Ensuite, j'ai découvert que la majorité des Américains ont des garde-robes remplies de vêtements qu'ils ne portent qu'à l'occasion, et j'ai repensé à toutes ces années pendant lesquelles j'avais voyagé avec pour seuls vêtements ceux que je portais. Pourtant, j'avais vécu comme la plupart des évangélistes de village.

L'économiste Robert Heilbroner décrit le luxe que la famille américaine typique devrait abandonner si elle partait vivre parmi les millions de personnes affamées du tiers monde :

> Nous commençons l'invasion de la maison de notre famille américaine imaginaire en la vidant de ses meubles. Tout doit sortir : lits, chaises, tables, télévisions, lampes. Nous laisserons à la famille quelques vieilles couvertures, une table de cuisine, une chaise de bois. Les vêtements s'en vont ainsi que les commodes. Chaque membre de la famille peut garder dans sa garde-robe son plus vieil habit ou sa plus vieille robe, une chemise ou une blouse. Nous permettrons au chef de famille de garder une paire de chaussures, mais la femme et les enfants n'en auront pas.
>
> Passons à la cuisine. Les électroménagers sont déjà partis, alors, nous nous tournons vers les armoires… La boîte d'allumettes peut rester, un petit sac de farine, du sucre et du sel. Nous récupérons quelques pommes de terre moisies de la poubelle, car elles constitueront la plus grande partie du repas de ce soir. Nous laisserons quelques oignons et un plat de haricots secs. Nous enlevons tout le reste : la viande, les légumes frais, les conserves, les craquelins, les friandises.
>
> Maintenant, nous avons vidé la maison : la salle de bain a été démantelée, l'eau courante coupée et les fils électriques enlevés. Ensuite, nous enlevons la maison. La famille peut emménager dans la remise de jardin… Les moyens de communication doivent maintenant disparaître. Plus de journaux, de magazines, de livres – ce n'est pas comme si ces choses leur manqueront, puisque nous devons enlever à la famille ses connaissances en écriture et en lecture. À leur place, dans notre bidonville, nous leur permettrons d'avoir une radio…
>
> C'est au tour des services gouvernementaux de partir. Plus d'employés des postes, plus de pompiers. Il y a une école, mais elle est située à cinq kilomètres d'ici, et elle n'a que deux salles de classe… Évidemment, il n'y a ni hôpitaux ni médecins à proximité. La clinique la plus proche se trouve à une quinzaine de kilomètres et elle est dirigée par une sage-femme. On peut s'y rendre à bicyclette, à condition que la famille en possède une, ce

Faites-le circuler!

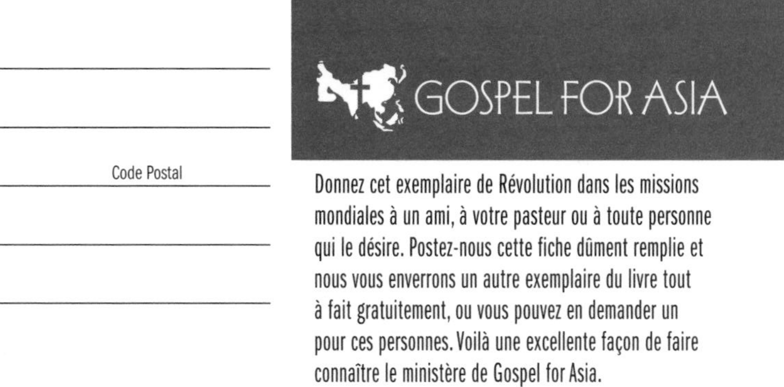

Si vous désirez offrir ce livre à quelqu'un, nous vous en donnerons un autre!

Coupon pour remplacer gratuitement ce livre

Veuillez inscrire vos coordonnées :

Veuillez encercler : M. Mme Mlle Pasteur

Nom ______________________

Adresse ______________________

Ville ______ Province ______ Code Postal ______

Téléphone ❑ cellulaire ❑ maison ( )

Courriel ______________________

GOSPEL FOR ASIA

Donnez cet exemplaire de Révolution dans les missions mondiales à un ami, à votre pasteur ou à toute personne qui le désire. Postez-nous cette fiche dûment remplie et nous vous enverrons un autre exemplaire du livre tout à fait gratuitement, ou vous pouvez en demander un pour ces personnes. Voilà une excellente façon de faire connaître le ministère de Gospel for Asia.

Cochez l'un des choix suivants :

❑ **Veuillez m'envoyer un autre exemplaire, car j'ai donné le mien à :**

❑ **Je désire garder mon exemplaire; veuillez en envoyer un à :**

Veuillez encercler : M. Mme Mlle Pasteur

Nom ______________________

Adresse ______________________

Ville ______ Province ______ Code Postal ______

Téléphone ❑ cellulaire ❑ maison ( )

Courriel ______________________

HB33-PB1F

1000004007-L8G1L9-BR01

GOSPEL FOR ASIA
245 KING ST E
STONEY CREEK ON L8G 9Z9

Parrainez un missionnaire natif, recevez des nouvelles du champ missionnaire et commandez en ligne d'autres produits à :

www.gfa.ca/francais

qui est peu probable...

Finalement, l'argent. Nous allouerons à la famille une réserve de cinq dollars. Cela évitera au soutien de famille de connaître la tragédie subie par un paysan iranien qui a perdu la vue parce qu'il n'arrivait pas à amasser les 3,94 $ qu'il croyait nécessaires pour être admis à l'hôpital où il aurait pu se faire soigner.[1]

Voilà une description très représentative du style de vie et du monde dans lequel j'ai grandi. Dès l'instant où j'ai touché le sol américain, j'étais saisi d'étonnement. Tout était si accablant et déroutant pour moi au début. Non seulement il m'a fallu apprendre les gestes les plus simples, comme me servir d'un téléphone public et faire de la monnaie, mais, en tant que chrétien sensible, je mettais en doute le fondement spirituel de tout ce que je voyais.

Les jours se sont transformés en semaines et j'étais alarmé en voyant à quel point les valeurs spirituelles de la plupart des croyants occidentaux étaient déplacées. Tristement, il me semblait qu'ils avaient, pour la plupart, adopté les mêmes valeurs humanistes et matérialistes qui dominaient la culture du monde. Presque aussitôt, j'ai senti qu'un terrible jugement pendait au-dessus des États-Unis et que je devais avertir les enfants de Dieu qu'il ne les garderait pas dans cette grande abondance pour toujours. Cependant, le message n'était pas encore formé dans mon cœur, et beaucoup d'années devaient s'écouler avant que je ne reçoive l'onction et le courage pour dénoncer de tels péchés.

Pendant ce temps, au Texas, un territoire qui est très représentatif de l'Amérique, j'étais en état de choc en voyant les choses les plus communes. Mes hôtes étaient fiers de me montrer ce qu'ils considéraient comme leurs plus grandes réussites. J'approuvais poliment d'un signe de la tête pendant qu'ils me montraient leurs énormes églises, leurs gratte-ciels et leurs universités. Mais ces bâtiments ne m'impressionnaient pas vraiment. Après tout, j'avais vu le Temple d'or d'Amritsar, le Taj Mahal, les Palais de Jhansi et l'Université de Baroda dans l'État du Gujarat.

Ce qui impressionne les visiteurs du tiers monde, ce sont les choses simples que les Américains tiennent pour acquises : l'eau potable disponible 24 heures par jour, l'électricité en quantité illimitée, des téléphones qui fonctionnent et un magnifique réseau de routes pavées. Comparé aux pays occidentaux, le développement en Asie n'en est encore qu'à ses débuts. À l'époque, nous n'avions pas encore la télévision en Inde, mais il semblait y en avoir un poste dans chaque pièce de la maison de mes hôtes américains, et ils étaient allumés jour et nuit. Cette constante propagation médiatique me dérangeait. Je ne comprenais pas pourquoi les Américains semblaient avoir toujours besoin d'être entourés de bruit. Même dans leurs voitures, j'ai remarqué que la radio était toujours en marche même quand personne ne l'écoutait.

Je me demandais pourquoi ils avaient constamment besoin d'être divertis ou de divertir les autres. On aurait dit qu'ils essayaient d'échapper à une culpabilité qu'ils n'avaient pas encore définie ou reconnue.

Je ne cessais de remarquer combien la plupart des Américains étaient grands et avaient des kilos en trop. Les Américains ont besoin de grandes voitures, de maisons spacieuses et de gros meubles parce que ce sont des gens corpulents.

J'étais étonné de voir à quel point manger, boire, fumer et même consommer de la drogue constituaient une importante partie de la vie des Occidentaux. Même parmi les chrétiens, la nourriture semblait faire souvent partie des activités de communion fraternelle.

Bien sûr, cela n'a rien de mal en soi. Les repas agapes occupaient une place importante dans la vie de l'Église du Nouveau Testament. Mais on peut pousser la chose à l'extrême.

L'ironie de la situation, c'est le prix relativement bas que les Nord-Américains paient pour la nourriture. En 1998, les dépenses personnelles aux États-Unis représentaient 19 049 $ par personne. De cette somme, 1276 $ (6,7 p. cent) servaient à l'achat de nourriture, laissant une somme confortable 17 773 $ pour les autres dépenses. En Inde, une personne n'avait en moyenne que 276 $ à dépenser, dont 134 $ (48,4 p. cent) servaient à acheter de la nourriture, laissant un maigre 142 $ pour les autres besoins de l'année. [2] J'ai vécu avec cette réalité tous les jours de ma vie, mais les Américains ont beaucoup de difficulté à penser ainsi.

Souvent, lorsque je prêchais dans une église, les gens semblaient émus quand je parlais de la souffrance et des besoins des évangélistes natifs de l'Asie. Habituellement, ils faisaient une offrande et me présentaient un chèque qui semblait représenter une somme importante. Puis, dans leur générosité habituelle, ils m'invitaient à manger avec les dirigeants après la réunion. J'étais horrifié de constater que ce repas coûtait souvent plus cher que ce qu'ils venaient de donner pour les missions. Et j'étais aussi très étonné de découvrir qu'une famille américaine mange généralement en un seul repas une quantité de viande suffisante pour nourrir toute une famille asiatique pendant une semaine. Personne d'autre que moi ne semblait jamais remarquer cela, et j'ai réalisé qu'ils n'avaient pas compris mon message. Ils étaient simplement incapables de saisir les besoins énormes des pays étrangers.

Encore aujourd'hui, j'hésite souvent à commander de la nourriture quand je voyage aux États-Unis. Je regarde le prix et je pense à tout ce qu'on pourrait faire avec cet argent en Inde, au Myanmar (anciennement la Birmanie) ou aux Philippines. Aussitôt, je n'ai plus tellement faim.

Bien des missionnaires et leur famille sont souvent sans

nourriture pendant quelques jours, et ce n'est pas parce qu'ils ont décidé de jeûner, mais bien parce qu'ils n'ont pas d'argent pour acheter du riz. Cette situation se produit surtout lorsqu'ils commencent un nouveau ministère dans un village où il n'y a pas de chrétiens.

En me rappelant les souffrances de mes frères asiatiques, je refusais souvent les desserts qu'on m'offrait. Je suis conscient que cela ne donnait rien de plus aux familles affamées, mais il m'était difficile de prendre plaisir à manger tandis que des ouvriers chrétiens en Asie n'avaient rien à avaler. Ce besoin est devenu très réel pour moi à travers le ministère du frère Moses Paulose, un missionnaire natif que nous soutenions financièrement.

Des millions de pêcheurs pauvres et sans éducation vivent isolés du monde sur les rives de milliers d'îles en Asie. La plupart d'entre eux habitent de petites huttes faites de feuillage et ils ont des vies très simples; ils travaillent très fort et ont peu de plaisir. Ces pêcheurs et leur famille sont parmi les gens qui ont le moins entendu parler de l'Évangile au monde. Mais Dieu a choisi Paulose et sa famille pour apporter l'Évangile dans les villages de pêche du Tamil Nadu, sur la côte est de l'Inde.

Je me souviens d'avoir rendu visite à Paulose et sa famille. Une des premières choses qu'il a découvertes quand il a commencé à visiter les villages, c'est qu'il ne pouvait utiliser aucune forme de matériel écrit parce que ces villageois ne savaient pas lire. Il a donc décidé de présenter des diapositives, mais il n'avait pas de projecteur et pas d'argent pour en acheter un. Il est donc allé plusieurs fois à l'hôpital pour vendre son sang jusqu'à ce qu'il ait amassé l'argent nécessaire.

C'était impressionnant de voir les foules que son projecteur attirait. Aussitôt que Paulose a accroché le drap blanc qui servait d'écran de projection, des milliers d'adultes et d'enfants se sont assemblés sur la plage. Madame Paulose chantait des chants évangéliques dans un haut-parleur branché sur une batterie d'automobile, et leur fils de cinq ans citait des versets de la Bible aux passants.

Au coucher du soleil, le frère Paulose a commencé sa présentation. Pendant des heures, des milliers de personnes étaient assises dans le sable à écouter le message de l'Évangile tandis que la mer murmurait derrière eux. Quand le moment est venu enfin de plier bagage et de partir, j'avais de la difficulté à me déplacer tellement il y avait d'enfants qui dormaient sur la plage.

Toutefois, la situation cachait une tragédie, car Paulose et sa famille étaient affamés. En une occasion, j'ai vu la femme souffrante de Paulose consoler ses enfants avec un biberon d'eau afin de calmer leurs pincements d'estomac. Ils manquaient d'argent pour acheter du lait. Comme Paulose avait honte de dire à ses voisins non-chrétiens qu'il n'avait rien à manger, il gardait fermées les fenêtres et les portes de la petite maison à aire ouverte qu'il louait pour que les voisins n'entendent pas les cris de ses quatre enfants affamés.

Un autre jour, un de ses enfants s'est endormi à l'école tellement il était affaibli par la faim.

« J'ai honte de le dire à l'enseignant ou aux voisins. Seuls Dieu, mes enfants et ma femme connaissent la vérité. Nous ne nous plaignons pas et nous ne sommes pas malheureux. Nous sommes très contents de servir le Seigneur. C'est un privilège d'être considéré digne de souffrir pour lui… », m'a-t-il confié.

Même lorsque ses enfants étaient punis pour leur manque d'attention à l'école, Paulose refusait de dévoiler leur secret et de faire honte au nom de Christ. Heureusement, dans ce cas-ci, grâce au soutien de quelques généreux chrétiens américains, nous avons pu lui envoyer une aide immédiate. Mais pour de nombreux autres, l'histoire ne connaît pas toujours une fin aussi heureuse.

Est-ce la faute de Dieu si des hommes comme Paulose ne mangent pas à leur faim? Je ne crois pas. Dieu a pourvu suffisamment d'argent pour subvenir aux besoins de Paulose et du tiers monde. L'argent nécessaire se trouve dans les nations très développées de l'Occident. Les chrétiens nord-américains à eux seuls pourraient, sans avoir à faire de grands sacrifices, combler tous les besoins des Églises du tiers monde.

Un ami de Dallas m'a récemment montré une nouvelle église dont la construction a coûté 74 000 000 $. Pendant que l'idée bouillonnait encore dans mon esprit, il m'a fait remarquer un autre bâtiment de 7 000 000 $ qui était en construction à seulement une minute de là.

Ces édifices sont de folles extravagances du point de vue du tiers monde. Les 74 000 000 $ dépensés pour un seul bâtiment aux États-Unis pourraient financer la construction d'environ 7000 églises de taille moyenne en Inde. Cette même somme serait suffisante pour apporter la Bonne Nouvelle de Jésus-Christ à un État indien au complet, ou même dans quelques petits pays de l'Asie.

Je me prononçais rarement sur ces sujets, par contre. Je réalisais que j'étais un invité. Les Américains qui avaient construit ces édifices avaient également construit l'école où j'étudiais actuellement, et ils payaient mes frais de scolarité. Cela m'étonnait, tout de même, quand je pensais que ces églises avaient été bâties pour adorer Jésus, qui a dit : « Les renards ont des tanières, et les oiseaux du ciel ont des nids; mais le Fils de l'homme n'a pas où reposer sa tête » (Matthieu 8.20).

En Asie aujourd'hui, le Christ est toujours sans foyer. Il cherche encore un endroit pour reposer sa tête, mais dans des temples qui ne sont pas faits « de main d'homme ». Jusqu'à ce qu'ils aient la possibilité d'avoir leur propre édifice, nos chrétiens nouveau-nés se réunissent habituellement dans leur maison. Dans les communautés non chrétiennes, il est presque impossible de

louer des églises.
On accorde une telle importance aux bâtiments aux États-Unis que nous oublions parfois que ce sont les personnes qui constituent l'Église, et non leur lieu de rencontre.
Mais Dieu ne m'a pas demandé de m'opposer à la construction de nouvelles églises, nous faisons notre possible pour fournir des bâtiments pour les petites Églises grandissantes en Asie chaque fois que nous le pouvons. Ce qui me dérange plus que le gaspillage, c'est que ces efforts représentent souvent une philosophie mondaine. Pourquoi ne pouvons-nous pas utiliser au moins dix pour cent des offrandes des chrétiens pour la cause de l'évangélisation dans le monde? Si les chrétiens des États-Unis à eux seuls avaient pris cet engagement en 2000, nous aurions aujourd'hui reçu près de 10 milliards de dollars pour annoncer l'Évangile![3]

Cinq

Une nation captive de son confort

J'ai découvert que la religion est une industrie de plusieurs milliards de dollars aux États-Unis. En entrant dans les églises, j'étais surpris en voyant les tapis, l'ameublement, les systèmes de climatisation et la décoration. Un grand nombre de ces églises ont des gymnases et des réunions qui s'adaptent à un horaire chargé d'activités qui n'ont à peu près rien à voir avec Christ. Les orchestres, les chorales, la musique « spéciale », et parfois même les prédications, ressemblent plus à un spectacle artistique qu'à de l'adoration.

Beaucoup de Nord-Américains vivent coupés du monde réel. Ils ne savent rien des pauvres qui vivent à l'étranger, ni même de ceux qui vivent dans leur propre ville. Au milieu de l'abondance vivent des millions de personnes extrêmement pauvres laissées pour compte depuis que les chrétiens sont allés vivre dans les banlieues. J'ai réalisé que les croyants sont prêts à participer à n'importe quelle activité d'apparence spirituelle, mais qui, en réalité, leur permet de fuir leur responsabilité envers l'Évangile.

Par exemple, un matin, j'ai feuilleté un magazine populaire chrétien qui contenait plusieurs articles intéressants, des histoires et des reportages provenant de partout au monde. La plupart étaient écrits par des leaders chrétiens bien connus de l'Occident. J'ai remarqué que cette revue contenait des annonces publicitaires pour 21 universités, séminaires ou programmes de formation à distance pour chrétiens; cinq versions de la Bible en anglais, sept conférences et retraites; cinq nouveaux films chrétiens; 19 commentaires et livres de dévotion; sept programmes chrétiens de santé ou de régimes alimentaires et cinq services de collectes de fonds.

Mais ce n'était pas tout. Il y avait aussi de la publicité pour toutes sortes de produits et de services : conseillers, aumôniers, cours d'écriture, clochers d'église, toges de chorale, croix murales, baptistères et chauffe-eau, t-shirts, disques, cassettes, agences d'adoption, brochures, poèmes, cadeaux, clubs de lecture et correspondants. Tout cela était des plus impressionnants. Je suis convaincu que rien de tout cela n'était vraiment mal en soi, mais j'étais troublé de savoir qu'une nation peut avoir accès à autant de luxe spirituel tandis que chaque jour, dans mon pays d'origine, 40 000 personnes meurent sans avoir entendu l'Évangile une seule fois.

Si l'abondance en Amérique m'impressionnait, j'étais davantage impressionné par l'abondance dans laquelle vivent les chrétiens. Aux États-Unis, environ 5000 boutiques de livres et de cadeaux chrétiens[1] vendent toute une variété de produits dépassant l'imagination. Plusieurs magasins non chrétiens vendent également des livres religieux. Pendant ce temps, les gens utilisant l'une des 4845 langues parlées dans le monde (parmi les 6912 qui existent) n'ont accès à aucune partie de la Bible dans leur propre langue![2] Dans son livre, *My Billion Bible Dream* (« Mon rêve : Distribuer un milliard de Bibles »), Rochunga Pudaite dit : « Quatre-vingt-cinq pour cent de toutes les bibles imprimées aujourd'hui sont en anglais, pour les neuf pour cent du monde capable de la lire. Quatre-vingts pour cent des habitants de la terre n'ont jamais eu de Bible en leur possession, alors que les Américains en ont en moyenne quatre par foyer. »[3]

Mis à part les livres, il existe 8000 magazines et journaux

chrétiens.[4] Aussi, plus de 1600 stations radiophoniques diffusent l'Évangile à plein temps[5], tandis qu'un grand nombre de pays n'ont pas une seule station de radio chrétienne.

Un maigre 0,1 pour cent des émissions de radio et de télévision sont dirigées vers le monde non évangélisé.6

La plus triste observation que je puisse faire à propos de ces activités de communication dans le monde occidental est celle-ci : très peu, s'il y en a, de ces médias sont conçus pour évangéliser les non-croyants. Ils servent presque tous à divertir les saints.

Les États-Unis, avec leurs 600 000 congrégations ou regroupements, sont bénis par la présence des 1,5 million d'ouvriers à plein temps, ou d'un chef spirituel pour chaque 182 personnes de la nation.[7] C'est toute une différence avec le reste du monde, où plus de deux milliards de personnes n'ont toujours pas entendu l'Évangile. Ces gens, que nous appelons aussi les « peuples cachés », n'ont qu'un missionnaire pour 78 000 personnes. Il reste encore 1240 groupes culturels distincts dans le monde qui n'ont pas une seule église pour leur enseigner l'Évangile. Christ a pleuré et est mort précisément pour ces multitudes.

Une des plus impressionnantes bénédictions en Amérique est la liberté religieuse. Non seulement les chrétiens américains ont accès à la radio et à la télévision, qui n'existe pas dans la plupart des nations asiatiques, mais ils sont aussi libres de se rassembler, d'évangéliser et d'imprimer leur documentation. C'est très différent de bien des nations asiatiques, où il est commun et souvent légal pour le gouvernement de persécuter les chrétiens.

C'était le cas au Népal, où jusqu'à il y a quelques années seulement, il était illégal de changer de religion ou d'en inciter d'autres à le faire. Dans ce temps-là, les chrétiens étaient souvent emprisonnés à cause de leur foi.

Un missionnaire natif au Népal a fait de la prison dans 14 établissements entre 1960 et 1975. Pendant dix des quinze années de sa sentence, il a été torturé et ridiculisé pour avoir prêché l'Évangile à son peuple.

Tout a commencé quand il a été arrêté pour avoir baptisé neuf nouveaux croyants. Les nouveaux convertis (cinq hommes et quatre femmes) ont aussi été arrêtés, et chacun a été envoyé en prison pour un an. Notre missionnaire a eu une sentence de six ans pour avoir influencé les autres.

La prison où on les a envoyés était littéralement un donjon de la mort. Entre 25 et 30 personnes étaient entassées dans une petite pièce sans ventilation ni installations sanitaires. L'odeur était tellement infecte que les nouveaux arrivants s'évanouissaient généralement dans les trente minutes après leur arrivée.

La prison où se trouvaient le frère P. et ses frères était infestée de poux et de blattes. Les prisonniers dormaient sur le sol dur. Les rats et les souris leur rongeaient le bout des doigts et des orteils durant la nuit. En hiver, il n'y avait pas de chauffage; en été, il n'y avait pas de ventilation. Comme nourriture, les prisonniers avaient droit à une tasse de riz par jour, qu'ils devaient faire cuire sur un feu allumé sur le sol de la prison. Comme il n'y avait pas de cheminée, la pièce était continuellement remplie de fumée. Avec ce régime inadéquat, la plupart des prisonniers tombaient fréquemment malades, et l'odeur de vomissure s'ajoutait aux autres odeurs de putréfaction. Mais par miracle, aucun des chrétiens n'a été malade une seule fois dans toute l'année.

Après avoir purgé leur peine d'un an, les neuf nouveaux croyants ont été relâchés. Ensuite, les autorités ont décidé qu'elles voulaient briser le frère P. Elles lui ont enlevé sa bible, lui ont mis des chaînes aux mains et aux pieds, et l'ont fait entrer de force dans une petite alcôve qui avait servi à entreposer des prisonniers morts jusqu'à ce que leurs proches viennent les chercher.

Le gardien de la prison a prédit que ce n'était qu'une question de jours avant qu'il perde la raison dans cette cellule noire et humide. La pièce était tellement petite que le frère P. ne pouvait ni se tenir debout ni s'allonger sur le sol. Comme il ne pouvait pas faire de feu pour cuire son riz, les autres prisonniers lui passaient de la nourriture sous la porte, afin de le garder en vie. Les poux ont mangé ses sous-vêtements. Il ne pouvait pas se gratter à cause des chaînes, qui ont fini par lui couper les poignets et les chevilles jusqu'aux os. C'était l'hiver et il est passé près de mourir gelé à plusieurs reprises. Il ne pouvait différencier la nuit du jour, mais, quand il fermait les yeux, Dieu lui montrait les pages du Nouveau Testament. Même si on lui avait enlevé sa bible, il pouvait encore la lire dans l'obscurité. Cela lui donnait la force de supporter cette terrible torture. Pendant trois mois, il n'a pas eu le droit de parler à un autre être humain.

Le frère P. a été transféré dans de nombreuses autres prisons. À chaque endroit, il continuait de partager sa foi avec les gardiens et les prisonniers.

Bien que le frère P. ait souvent été emprisonné, il refusait de former des Églises clandestines. Il disait : « Comment un chrétien peut-il se taire? Comment une Église peut-elle être gardée secrète? Jésus est mort publiquement pour nous. Il n'a pas essayé de se cacher avant de se rendre à la croix. Nous devons parler de lui avec assurance sans nous soucier des conséquences. »

Étant natif de l'Inde, j'ai été battu et lapidé pour ma foi. Je sais ce que cela signifie de faire partie de la minorité persécutée dans mon propre pays. En arrivant en terre occidentale, j'ai ressenti un esprit de liberté religieuse. Les Américains n'ont jamais connu la peur d'être persécutés. Rien ne leur semble impossible.

Quand je vivais en Inde, j'avais toujours considéré l'Amérique comme une forteresse de christianisme. Grâce à son abondance spirituelle et matérielle, une abondance inégalée sur toute la terre, et une Église totalement libre, je m'attendais à voir une foi solide. La grâce de Dieu a évidemment été déversée sur cette nation et cette Église comme on ne l'a jamais vue ailleurs.

Au lieu de cela, j'ai vu une Église en déclin spirituel. Les croyants américains sont encore ceux qui donnent le plus d'argent aux missions, mais cela est probablement dû à un accident historique plus qu'à la profonde conviction que je m'attendais à y trouver. En allant prêcher dans les églises et en parlant avec des chrétiens ordinaires, j'ai découvert qu'ils ont une mauvaise conception de la vocation missionnaire de l'Église. Lorsque j'entendais, dans certaines églises, les questions et les commentaires de mes hôtes sur le tiers monde, mon cœur éclatait presque de douleur. Je savais que ces personnes étaient capables de faire beaucoup mieux. Ils étaient en train de mourir spirituellement, mais je savais que Dieu voulait les faire revivre et qu'il voulait que son Église retrouve sa vocation et son sens de la mission.

Je ne savais ni comment, ni quand, mais je savais une chose : Dieu n'avait pas béni cette nation ainsi pour qu'elle vive dans l'extravagance, l'autosatisfaction et la faiblesse spirituelle.

Par la foi, je croyais que nous étions sur le point de voir un réveil – le corps de Christ redécouvrant la puissance de l'Évangile et la responsabilité qui lui incombait de le répandre. Mais pour l'instant, je ne pouvais faire autre chose que constater l'injustice de la situation et prier. Dieu ne m'avait pas donné les mots pour dénoncer ce que je voyais, ni la tribune pour le faire. Il avait encore d'importantes leçons à m'enseigner dans ce pays étranger, loin de ma patrie bien-aimée.

Six

Que fais-tu ici?

La Bible précise que « l'un plante » et « un autre arrose ». Le Dieu vivant m'avait maintenant amené à l'autre bout du monde pour m'apprendre à arroser. Avant qu'il ne me fasse de nouveau confiance pour planter, je devais apprendre la leçon que j'avais toujours évitée en Inde : l'importance de l'Église locale dans le plan de Dieu pour l'évangélisation mondiale.

Tout a commencé par une coïncidence étrange, un rendez-vous divin que seul un Dieu souverain pouvait concevoir. À l'époque, j'étais étudiant en théologie à l'institut biblique de Criswell et j'absorbais tout ce que j'apprenais dans chacune de mes classes. Grâce à la bourse que Dieu m'avait miraculeusement accordée, je pouvais approfondir ma connaissance de la Parole de Dieu comme jamais auparavant. Pour la première fois de ma vie, je faisais une étude sérieuse et approfondie de la Bible, qui me révélait plusieurs de ses secrets.

Gisela et moi nous sommes mariés à la fin de mon premier trimestre et elle est venue me rejoindre en octobre 1974, au début du trimestre suivant. À l'exception des quelques fins de semaine où j'ai accepté de prêcher et de parler de l'Asie, j'étais totalement absorbé par mes études et l'organisation de notre nouvelle demeure.

Un jour, un étudiant m'a invité à venir prêcher à Dallas,

dans la petite église où il était pasteur. Même si c'était une congrégation américaine, elle comptait plusieurs membres amérindiens.

Gisela en était vraiment ravie parce qu'elle avait prié pendant une bonne partie de son enfance pour devenir missionnaire parmi les « Indiens » qui habitaient les grandes plaines de l'Amérique du Nord. Alors que les autres filles rêvaient de mariage et du « prince charmant », elle priait pour œuvrer au sein des Amérindiens. À ma grande surprise, j'ai appris qu'elle avait lu et conservé plus d'une centaine de livres sur l'histoire et la vie tribale des Amérindiens.

Étonnamment motivé par cette petite communauté, j'ai prêché de tout mon cœur. Jamais je n'ai fait mention de ma vision et de mon fardeau pour l'Asie. Au lieu de cela, j'ai expliqué un passage des Écritures, verset par verset. Un grand amour pour ces gens naissait en moi.

Je ne le savais pas encore, mais mon ami pasteur avait remis sa démission cette même journée. Les diacres m'ont invité à revenir la semaine suivante, et les deux autres qui ont suivi. Dieu nous a donné un amour surnaturel pour ces gens, et ils nous aimaient également. À la fin de ce mois, le conseil de l'Église m'a demandé de devenir leur pasteur. J'avais alors 23 ans. Quand Gisela et moi avons accepté cet appel, mon cœur a commencé à déborder d'amour pour ces personnes vingt-quatre heures par jour.

Plus d'une fois, à ma plus grande honte, je me suis rappelé à quel point j'avais méprisé les pasteurs et leurs difficultés lorsque je vivais en Inde. Maintenant que je rétablissais des relations, guérissais des âmes blessées et tenais un groupe dans l'unité, je voyais les choses sous un tout autre jour. Certains problèmes auxquels les enfants de Dieu font face sont les mêmes sur toute la surface de la Terre, alors, je prêchais contre le péché et en faveur d'une vie sainte. Pour les autres problèmes, comme le divorce (une épidémie dans le monde occidental, mais presque inexistant en Inde à mon arrivée en Amérique), je n'étais pas du tout préparé à les affronter.

Même si je pesais maintenant 48 kilos, je me suis presque effondré quand j'ai baptisé un nouveau converti qui en pesait 113, à l'occasion d'une des nombreuses journées de baptême. Constamment, des gens venaient à Christ et notre Église ne cessait donc de grandir et de gagner des âmes, au point où nous tenions des réunions six soirs par semaine.

Les jours se sont vite transformés en mois. Quand je n'étais pas en classe, j'étais avec les gens de mon Église, me donnant à eux de la même manière que je l'avais fait en prêchant dans les villages du nord de l'Inde. Nous avons appris à aller voir les gens chez eux, à rendre visite aux malades hospitalisés, à célébrer des mariages et des funérailles. Gisela et moi étions impliqués jour et nuit dans la vie des croyants de notre congrégation. Comme il y avait parmi eux un mélange de diverses tribus amérindiennes en plus des Anglo-américains, nous nous sommes retrouvés à pourvoir simultanément aux besoins spirituels de plusieurs cultures.

La stabilité spirituelle et la capacité de former des disciples étaient des aspects manquants de mon ministère en Inde. Je comprenais maintenant pourquoi j'avais échoué dans le Punjab. Organiser des croisades d'évangélisation et amener les gens à Christ n'est pas suffisant. Quelqu'un doit rester pour aider les nouveaux croyants à croître en maturité.

Pour la première fois, je comprenais le but de toute œuvre missionnaire : le « perfectionnement des saints » en vue d'en faire de disciples consacrés à Christ. Jésus nous a ordonné d'aller vers toutes les nations, pour les baptiser et leur enseigner à observer tout ce qu'il avait prescrit. L'équipe d'évangélisation que j'avais dirigée en Inde y était allée, mais nous n'étions pas restés pour enseigner.

L'Église, c'est-à-dire un groupe de croyants, est le milieu que Dieu a choisi pour la formation des disciples. Le plan de Dieu pour la rédemption du monde passe par l'Église et Dieu n'a prévu aucun autre plan.

Alors que je servais comme berger d'une Église locale, le Seigneur m'a révélé que les missionnaires natifs, les hommes et les femmes qui peuvent évangéliser les peuples cachés de l'Asie, doivent posséder les mêmes qualités qu'un pasteur en Amérique. Dans mon esprit, je voyais les mêmes concepts de formation de disciples implantés en Inde et en Asie. Tout comme les premiers méthodistes l'avaient fait le long des frontières américaines à leur arrivée sur ce continent, je pouvais voir nos évangélistes implanter des églises en plus de faire de l'évangélisation.

Mais en même temps que je saisissais cette idée, je réalisais qu'il faudrait que le peuple de Dieu se lève en très grand nombre pour réaliser cette tâche. En Inde seulement, 500 000 villages sont sans témoins évangéliques. Et la Chine, l'Asie du Sud-Est et les îles environnantes sont dans la même situation. Il faudrait un million d'ouvriers pour accomplir cette œuvre.

Cette idée était trop grande pour moi, alors, je l'ai chassée de mon esprit. Après tout, me suis-je dit, Dieu m'avait appelé dans cette petite église de Dallas, et il bénissait mon ministère. Je commençais à me sentir bien à l'aise dans cet endroit. L'Église nous soutenait bien financièrement et, avec un premier bébé qui naîtrait bientôt, j'en étais venu à accepter le style de vie des Occidentaux, avec une maison, une automobile, des cartes de crédit, des polices d'assurance et des comptes bancaires.

Je poursuivais mes études tout en me préparant à faire croître l'Église spirituellement. Mais j'étais de moins en moins en paix avec l'idée de rester à Dallas. Vers la fin de 1976 et au début de 1977, chaque fois que je me tenais derrière la chaire, j'entendais une voix accusatrice qui disait : « Que fais-tu encore ici? Tu prêches à des Américains qui vivent dans l'abondance tandis que des millions d'Asiatiques s'en vont en enfer. As-tu oublié ton peuple? »

Un terrible conflit faisait rage en moi. Je n'arrivais pas à reconnaître la voix. Était-ce Dieu? Était-ce ma propre conscience? Était-ce une voix démoniaque? Désespéré, j'ai décidé d'attendre que Dieu me dévoile son plan. Nous étions prêts à aller n'importe où et à faire n'importe quoi, mais nous voulions entendre la voix de Dieu. Je n'arrivais plus à travailler avec cette voix qui me tourmentait. J'ai annoncé à l'Église que je priais, et j'ai demandé à mes frères et sœurs de prier avec moi, afin de connaître quelle était la volonté de Dieu pour mon avenir.

« Je n'arrive pas à trouver la paix. Je ne sais pas si je dois rester aux États-Unis ou retourner en Inde », leur ai-je avoué.

Je me demandais : « Qu'est-ce que Dieu essaie de me dire? » Pendant que je priais et jeûnais, Dieu s'est révélé à moi dans une vision qui m'est revenue plusieurs fois avant que j'en comprenne le sens. Je voyais devant moi de nombreux visages d'hommes et de leur famille qui venaient de différentes régions d'Asie. Ces visages étaient ceux de femmes et d'hommes saints, qui exprimaient la dévotion. Petit à petit, j'ai commencé à comprendre que ces personnes étaient l'image de l'Église indigène qui se lève actuellement pour apporter l'Évangile d'un bout à l'autre de l'Asie.

Après cela, le Seigneur m'a dit : « Ils sont incapables de dire ce que tu diras. Ils n'iront pas où tu iras. Tu es appelé à être leur serviteur. Tu dois aller où je t'enverrai en leur nom. Tu es appelé à être leur serviteur. »

De la même manière que l'éclair remplit le ciel pendant un orage, j'ai vu ma vie entière défiler devant moi en un instant. Je n'avais jamais parlé anglais avant l'âge de 16 ans, et maintenant je prêchais dans cette langue étrangère. Je n'avais jamais porté de chaussures avant l'âge de 17 ans. Je suis né et j'ai grandi dans un village de la jungle. Soudainement, j'ai réalisé que je n'avais aucune raison d'être fier; mes talents et mes habiletés ne m'avaient pas amené en Amérique. C'était par la volonté et la puissance de Dieu que j'étais ici. Il voulait que je traverse des cultures, pour épouser une Allemande et vivre dans un pays étranger pour y acquérir les compétences qui me seraient utiles pour servir dans un nouveau mouvement missionnaire.

Dieu m'a dit : « Je t'ai conduit jusqu'ici. L'appel de ta vie, c'est d'être le serviteur de frères inconnus, des hommes que j'ai choisis et éparpillés dans plusieurs villages d'Asie. »

Sachant que je venais enfin de découvrir l'appel de ma vie, je me suis précipité pour aller partager ma nouvelle vision avec les dirigeants de mon Église et les directeurs de sociétés missionnaires. À mon grand étonnement, Dieu semblait avoir oublié de le dire à d'autres que moi.

Mes amis croyaient que j'étais devenu fou. Les dirigeants de missions doutaient tantôt de mon intégrité tantôt de mes compétences, et parfois même des deux. Des leaders d'Églises en qui j'avais confiance passaient leur bras autour de mes épaules, comme un père, me conseillant de ne pas céder sous le coup de l'émotion. D'un coup, après une simple annonce, je me retrouvais seul, forcé de me défendre contre les attaques qu'on me lançait. Je sais que, si je n'avais pas attendu de recevoir un appel clair de la sorte, je me serais effondré en affrontant ces premières tempêtes d'incrédulité et de doute. Mais je demeurais convaincu de mon appel, certain que Dieu faisait lever un nouveau jour dans les missions mondiales. Toutefois, personne d'autre ne semblait partager mon enthousiasme.

Secrètement, je m'étais enorgueilli du fait que j'étais un orateur convaincant et un bon vendeur, mais rien de ce que disais ou faisais ne réussissait à changer l'opinion publique. Quand j'essayais de faire comprendre qu'on doit mettre « le vin nouveau dans des outres neuves », on me demandait : « Où est le vin nouveau? »

Gisela était la seule à m'apporter un peu de réconfort. Elle avait travaillé avec moi en Inde, et elle a accepté la vision sans poser de questions. Dans les moments de découragement, quand même ma foi était faible, elle refusait d'abandonner la vision. Repoussés, mais certains d'avoir bien entendu l'appel de Dieu, nous avons nous-mêmes planté les premières graines.

J'ai écrit à un vieil ami en Inde en qui j'avais confiance depuis des années, afin qu'il sélectionne pour moi des missionnaires natifs dans le besoin qui accomplissaient déjà un travail remarquable. J'ai promis de venir les voir plus tard, et nous avons commencé à planifier un voyage afin de trouver d'autres ouvriers qualifiés.

Lentement, nous avons commencé à envoyer une partie de nos revenus personnels et de nos économies pour soutenir des missionnaires en Inde. J'étais devenu obsédé. Je n'étais même plus capable d'acheter un hamburger ou une boisson gazeuse sans me sentir coupable. Réalisant que nous étions tombés dans le piège du matérialisme, nous avons vendu tout ce que nous pouvions, avons retiré nos économies de la banque et encaissé mon assurance vie. Je me suis souvenu d'un de mes professeurs du séminaire qui nous avait enseigné à mettre de l'argent de côté chaque mois pour les urgences, à acheter une assurance vie et à investir dans une maison.

Mais je ne voyais rien de cela dans les commandements de Jésus du Nouveau Testament. Pourquoi nous disait-on de mettre de l'argent sur des comptes en banque alors que Jésus enseignait de ne pas amasser de trésors ici-bas?

« Ne vous ai-je pas commandé de vivre par la foi? », m'a demandé le Saint-Esprit.

Gisela et moi nous sommes donc conformés aux commandements de Christ concernant l'argent et les biens matériels. J'ai même échangé mon automobile récente contre une voiture d'occasion de moindre valeur. Nous avons envoyé

PHOTO DE GAUCHE : La mère de K. P. a prié et jeûné fidèlement chaque vendredi pendant trois ans et demi. Elle demandait à Dieu d'appeler un de ses fils comme missionnaire. Sa prière a été exaucée quand K. P. a commencé à servir le Seigneur à l'âge de 16 ans.

PHOTO DU BAS : K. P. YOHANNAN (cinquième à partir de la gauche) avec une équipe d'évangélisation d'Opération Mobilisation en 1971. À ses côtés, Greg Livingstone, directeur international de Frontiers.

DES MILLIONS D'ÂMES dans de nombreuses nations asiatiques adorent un nombre infini de dieux et de déesses. Étant des gens très religieux et sincères, ils offrent tout ce qu'ils possèdent à ces divinités dans l'espoir que leurs péchés soient pardonnés.

PHOTO DE GAUCHE : Dr K. P. a parcouru des millions de kilomètres afin de parler au nom des gens qui souffrent et qui sont dans le besoin dans le monde. Son ministère au sein du corps de Christ consiste à rassembler des disciples authentiques qui transformeront les cœurs de leur génération pour le Seigneur.

CETTE FEMME ISSUE D'UNE TRIBU représente toutes ces personnes qui n'ont encore jamais entendu parler de Jésus. Située au cœur de la fenêtre 10/40, l'Inde compte le plus grand nombre de peuples sur la terre qui, à ce jour, n'ont pas encore entendu l'Évangile.

PHOTO DU HAUT : K. P. et sa femme, Gisela, avaient tous deux 23 ans quand le Seigneur les a unis pour le servir dans un but commun, c'est-à-dire vivre pour lui et donner tout ce qu'ils possédaient pour évangéliser le monde perdu. C'était en 1974. Aujourd'hui, ils continuent d'œuvrer dans la joie afin que cette génération connaisse le Seigneur Jésus-Christ.

PHOTO DE GAUCHE : Leurs enfants, Daniel et Sarah, depuis leur enfance, ont prié pour que Dieu les appelle à être missionnaires. Après avoir terminé leurs études secondaires, ils ont étudié au séminaire de Gospel for Asia et, aujourd'hui, ils servent le Seigneur sur le champ missionnaire.

la différence directement en Inde. C'était une joie de faire ces petits sacrifices pour les frères de ma patrie. De plus, je savais que c'était la seule façon de lancer la mission.

Comprenez que ce n'est pas mal en soi d'avoir des polices d'assurance et des comptes d'épargne. Mais nous avons écouté ce que le Seigneur a demandé à notre famille. Ce qu'il vous demande est peut-être très différent. L'important, c'est que chacun de nous est responsable de la façon dont il suit le Seigneur et lui obéit.

Ce qui m'a gardé dans ces premiers jours, c'était la certitude qu'il n'y avait pas d'autre façon de faire. Même si les gens ne comprenaient pas que nous devions commencer un mouvement missionnaire indigène, je me sentais obligé de répondre à l'appel de Dieu. Je savais que les missions occidentales ne pouvaient pas accomplir le travail à elles seules. Puisque ma nation et de nombreuses autres étaient fermées au monde extérieur, il nous fallait nous tourner vers les croyants natifs de ces pays. Même si on permettait un jour aux missionnaires de l'Ouest de revenir, il en coûterait des milliards de dollars annuellement pour les envoyer. Les missionnaires natifs de l'Asie pouvaient en faire autant pour une fraction du coût.

Je n'ai jamais dit à personne que j'aurais un jour besoin d'autant d'argent. On me considérait déjà fou de penser que je pourrais moi-même soutenir entre huit et dix missionnaires par mois avec mon salaire. Que penseraient les gens si je leur disais que j'avais besoin de millions de dollars par année pour envoyer des milliers missionnaires natifs en mission? Toutefois, je savais que c'était possible. Plusieurs sociétés missionnaires et œuvres de bienfaisance dans le monde occidental administrent déjà des budgets annuels de cette envergure. Je ne voyais pas pourquoi nous ne pourrions pas en faire autant.

Mais aussi logique que tout cela me paraissait, j'avais des leçons amères à apprendre. Implanter une société missionnaire nécessiterait énormément plus d'énergie et de capital de démarrage que je n'aurais pu l'imaginer. Sans que je le sache, j'avais beaucoup à apprendre sur la façon dont on faisait les choses aux États-Unis. Je ne savais qu'une chose : je devais le faire.

Avec l'entrain de la jeunesse, Gisela et moi sommes allés en Inde pour effectuer une première évaluation des lieux. Un mois plus tard, nous sommes revenus chez nous sans un sou, mais décidés à organiser ce qui deviendrait plus tard Gospel for Asia.

Peu après notre retour, j'ai fait part de ma décision à la congrégation. Avec difficulté, nous avons coupé les liens fraternels et nous sommes préparés à déménager à Eufaula, en Oklahoma, où un ami pasteur m'avait offert des locaux gratuits pour aménager les bureaux de la mission.

J'ai prêché mon sermon d'adieu à l'église avec les larmes aux yeux. Après un dernier au revoir et une dernière poignée de main, j'ai verrouillé la porte et je me suis arrêté dans les marches. J'ai senti la main de Dieu soulever un poids de mes épaules. Dieu me libérait du fardeau de cette église et des gens de l'endroit. En traversant lentement l'entrée de gravier, le dernier mystère du service chrétien prenait un sens réel pour moi.

Les pasteurs, tout comme les missionnaires-évangélistes, sont envoyés par Dieu dans ses champs de récolte. Personne n'a jamais été appelé à remplir ce genre de fonction par l'entremise d'une société missionnaire, d'une religion, d'un évêque, d'un pape ou d'un surintendant. À Gospel for Asia, je n'aurais jamais la présomption d'appeler un frère au service, mais je suis plutôt le serviteur de ceux que Dieu a déjà choisis pour le servir.

Après m'être installé en Oklahoma, j'ai consulté des dirigeants chrétiens expérimentés, écoutant attentivement tous ceux qui voulaient bien me donner des conseils. Partout où j'allais, je posais des questions. Je savais que Dieu m'avait appelé et une grande partie des suggestions que je recevais étaient destructrices.

Je me suis rendu compte qu'il nous fallait apprendre la plupart de nos leçons en faisant des essais et des erreurs souvent pénibles. J'ai échappé à quelques décisions qui auraient pu être désastreuses, uniquement parce que je refusais obstinément de compromettre l'appel que j'avais reçu de Dieu. Si quelque chose concordait avec ce que Dieu m'avait dit, je l'essayais. Sinon, même si ce qu'on me proposait était très alléchant, je refusais. J'ai découvert que le secret dans l'accomplissement de la volonté de Dieu repose sur le choix de rejeter le bien en faveur de ce que Dieu a de meilleur à offrir.

Il y a tout de même un conseil que j'ai gardé. Chaque dirigeant chrétien devrait avoir ceci gravé dans son subconscient : quoi qu'on fasse, il ne faut jamais se prendre trop au sérieux. Paul Smith, fondateur de Bible Translations on Tape (Traductions de la Bible sur cassette), a été le premier directeur à me dire cela, et je crois que c'est un des conseils les plus sages que j'ai jamais reçus de quelqu'un.

Dieu choisit toujours les choses folles du monde pour confondre les sages. Il révèle sa puissance uniquement à ceux qui lui font confiance. Tout service chrétien commence dans l'humilité.

Sept

« C'est un privilège »

Nous avons commencé Gospel for Asia sans aucun plan d'engagement, mais Dieu n'a pas tardé à nous en fournir un. Au cours d'un de mes premiers voyages, je suis allé à Wheaton, en Illinois, où j'ai contacté presque tous les dirigeants de missions évangéliques. Quelques-uns m'ont encouragé, mais pas un seul ne m'a offert l'argent dont nous avions désespérément besoin pour survivre une autre journée. Toutefois, l'ami chez qui j'habitais a suggéré que nous élaborions un plan de financement qui permettrait aux familles nord-américaines de soutenir un missionnaire natif de façon continue. C'était exactement ce qu'il nous fallait.

L'idée de mettre de côté un dollar par jour pour un évangéliste asiatique a servi de modèle pour un programme que tout le monde pourrait comprendre. Je demandais à tous les gens que je rencontrais, s'ils voulaient donner un dollar par jour pour soutenir un missionnaire natif. Quelques-uns ont accepté et c'est ainsi que la mission a trouvé ses premiers donateurs réguliers.

À ce jour, ce plan d'engagement est toujours au cœur de

nos efforts de collecte de fonds. Nous envoyons la totalité de l'argent que nous recevons au champ de mission, soutenant ainsi chaque mois des milliers de missionnaires.

Comme j'envoyais outre-mer tous les dons que nous recevions, nous faisions maintenant face au problème de couvrir nos frais administratifs et nos besoins personnels ici aux États-Unis.Chaque fois que nous avons atteint le point le plus bas, Dieu est intervenu miraculeusement pour nous soutenir et nous permettre de continuer ce ministère.

Un certain dimanche, alors qu'il ne nous restait qu'un dollar en poche, je suis monté dans notre vieille voiture à 125 $ et je me suis rendu dans une église du voisinage pour assister au culte. Je ne connaissais personne et je me suis assis dans la dernière rangée. Au moment de l'offrande, je me suis empressé de m'excuser à Dieu, car je ne pouvais céder mon dernier dollar.

« C'est mon dernier dollar, ai-je prié désespérément, j'en ai besoin pour acheter de l'essence pour retourner chez moi. » Mais, sachant que Dieu aime celui qui donne avec joie, j'ai cessé de me battre et j'ai remis ce dernier dollar au Seigneur.

En quittant l'église, un vieil homme, que je n'avais jamais vu auparavant, et que je n'ai jamais revu depuis, s'est approché de moi. Il m'a serré la main sans dire un mot et j'ai senti un morceau de papier dans la paume de sa main. Je savais d'instinct que c'était de l'argent. Assis dans ma voiture, j'ai ouvert ma main pour y découvrir un billet de 10 $ soigneusement plié.

Un autre jour, je boudais, assis sur notre sofa à Eufaula. Gisela était occupée dans la cuisine, évitant mon regard. Elle ne disait rien, mais tous les deux nous savions qu'il n'y avait rien à manger dans la maison.

La voix moqueuse de l'ennemi me disait : « Alors, c'est ainsi que ton Dieu et toi pourvoyez aux besoins de ta famille, hein? » Je crois que je ne m'étais encore jamais senti aussi inutile qu'à ce moment-là. Nous étions au beau milieu de l'Oklahoma, et même si j'avais voulu demander de l'aide à quelqu'un, je n'aurais pas su où m'adresser. Nous avions atteint un niveau tellement bas que j'avais songé à chercher du travail, mais Gisela avait refusé. Elle craignait que j'entre dans le monde des affaires et que je n'aie plus de temps à consacrer aux frères en Asie. Pour elle, nous n'avions d'autre choix que d'attendre le Seigneur. Il allait pourvoir à nos besoins.

La voix démoniaque continuait à me narguer et je subissais ses attaques sans riposter. J'avais épuisé le peu de foi qui me restait en louant Dieu et en lui confessant ma foi. Maintenant, je restais assis sur le sofa, incapable de réagir.

On a frappé à la porte et, comme je n'étais pas d'humeur à voir qui que ce soit, Gisela est allée ouvrir. Quelqu'un avait déposé deux boîtes de vivres près de la porte. Ces amis ne connaissaient rien de notre besoin, mais nous savions que Dieu était la source de cette bonté.

À cette époque, nos besoins étaient constamment comblés au jour le jour et nous n'avons jamais eu à emprunter dans les fonds du ministère. Je suis convaincu maintenant que Dieu était au courant des nombreuses épreuves qui nous attendaient et il avait voulu nous enseigner à garder la foi et à nous appuyer sur lui seul, même quand je ne le voyais pas.

D'une certaine manière, que je ne comprends pas encore très bien, l'épreuve de notre foi tisse de la patience et de l'espérance dans l'étoffe de notre vie chrétienne. Je suis persuadé que personne ne peut suivre Jésus bien longtemps sans connaître de tribulations. C'est sa façon de nous révéler sa présence. La souffrance et les épreuves, comme la persécution, font naturellement partie de la marche chrétienne. Il nous faut apprendre à les accepter avec joie si nous voulons qu'elles nous aident à grandir, et je suis d'avis que cela est vrai autant pour les ministères que pour les individus. Gospel for Asia traversait son premier désert et, durant la période où nous étions en

Oklahoma, j'ai vécu les moments d'attente les plus pénibles de mon existence. Nous étions seuls dans un territoire inconnu, complètement à bout de force et désespérément dépendants de Dieu.

Les occasions de parler de notre œuvre étaient plutôt rares dans les débuts du ministère, mais c'était le seul moyen à notre disposition pour le développer. Personne ne connaissait mon nom ou celui de Gospel for Asia. J'avais encore de la difficulté à expliquer notre œuvre. Cette mission, mon cœur la connaissait, mais je ne savais pas encore comment la transmettre aux autres. En quelques mois seulement, j'avais épuisé tous mes contacts.

Il fallait des semaines d'attente, de correspondance et d'appels téléphoniques pour préparer une tournée de conférences. À l'hiver de 1980, j'étais prêt à entreprendre ma première grande tournée. J'ai acheté un billet d'avion en classe économique qui me permettait de voyager autant que je le désirais sur une période de 21 jours, et j'ai réussi à planifier des présentations dans 18 villes. Mon itinéraire me faisait traverser le Sud-Ouest des États-Unis, de Dallas à Los Angeles.

Le jour de mon départ, une terrible tempête de neige a frappé la région. Tous les autobus, y compris celui que je devais prendre pour me rendre d'Eufaula en Oklahoma à Dallas, ont été retenus en gare.

Notre Nova avait des problèmes de moteur, alors, un voisin a offert de me prêter sa vieille camionnette sans chauffage. Ce véhicule n'avait pas l'air en état de se rendre jusqu'à la ville voisine, encore moins de faire le trajet de six heures jusqu'à Dallas. Mais j'avais le choix entre la camionnette… ou rien. Si je manquais mon vol, mon programme bien chargé tombait à l'eau. Il fallait que je parte immédiatement.

Faisant de mon mieux pour rester au chaud, j'ai enfilé deux paires de bas et autant de vêtements que je le pouvais. Cependant, même avec toute cette protection supplémentaire, après quelques minutes seulement sur l'autoroute 75, j'ai réalisé que j'avais fait une grave erreur. Le pare-brise s'était couvert d'une neige glacée en quelques minutes et je n'arrivais pas à faire un kilomètre sans devoir m'arrêter pour sortir gratter les vitres. En peu de temps, mes pieds et mes gants étaient trempés et gelés. J'ai réalisé qu'il me faudrait beaucoup plus que les six heures restantes pour faire le trajet. Je m'imaginais le pire, voyant les journaux titrant à la une : « Un prédicateur meurt gelé dans une tempête de neige ». J'ai posé la tête sur le volant et j'ai imploré Dieu.

« Seigneur, si tu veux que j'y aille, si tu crois en cette mission et en l'aide que je veux apporter aux évangélistes natifs, je t'en prie, fais quelque chose. »

En relevant la tête, j'ai vu un miracle sur le pare-brise; la glace fondait devant mes yeux. De la chaleur remplissait la camionnette. J'ai vérifié le chauffage, mais il ne fonctionnait pas. À l'extérieur, la tempête faisait toujours rage, et elle a continué jusqu'à Dallas. Mais dans la camionnette, il faisait toujours chaud et le pare-brise était toujours dégagé.

Ce départ miraculeux n'était que le premier d'une série de nombreuses bénédictions de Dieu. Au cours des 18 jours qui ont suivi, j'ai trouvé de nouveaux commanditaires et donateurs dans chaque ville. Le Seigneur m'accordait la faveur de tous ceux que je rencontrais.

Le dernier jour de notre tournée, un homme en Californie est venu voir le pasteur pour lui dire que Dieu lui avait dit de me donner sa seconde voiture. J'ai annulé mon vol et j'ai conduit ma nouvelle voiture jusque chez moi, réjoui de ce véhicule que Dieu m'avait donné. Pendant que je conduisais, il a renouvelé ma vision et m'a donné de nouvelles directives.

J'ai fonctionné de cette façon pendant les quelques années qui ont suivi, survivant d'une rencontre à l'autre, vivant presque dans mon automobile et présentant notre mission partout où on m'invitait. Tous nos donateurs et commanditaires venaient de contacts personnels et de nos réunions. Je savais qu'il y avait d'autres moyens plus rapides et plus efficaces pour trouver de nouveaux donateurs. J'ai plus d'une fois considéré les envois postaux massifs et les émissions de télévision et de radio des autres sociétés missionnaires. Cependant, tout ce qu'ils faisaient requérait de grosses sommes d'argent que je n'avais pas, et j'ignorais même comment me les procurer.

Nous avons fini par retourner vivre à Dallas. Je voyageais maintenant régulièrement pour le ministère, et le stress se faisait sentir sur la famille et sur moi. Je commençais à m'épuiser et j'en étais presque venu à détester mon travail.

Deux facteurs m'épuisaient.

Premièrement, j'avais l'impression d'être un mendiant. C'est très dur de passer son temps à voyager et à demander de l'argent jour après jour et soir après soir. C'était presque devenu une affaire de commerce pour moi, et je n'avais plus beaucoup d'estime pour moi-même.

Deuxièmement, j'étais découragé par la faible participation, spécialement de la part des Églises et des pasteurs. Plusieurs fois, il me semblait qu'ils se sentaient menacés par ma présence. Je me demandais où était l'esprit fraternel qui devait nous inciter à unir nos efforts pour l'avancement du royaume. Je devais souvent faire des appels téléphoniques pendant plusieurs jours pour trouver seulement un ou deux nouveaux commanditaires. Des pasteurs et des comités missionnaires m'ont écouté et ont promis de me rappeler, mais je n'ai jamais eu de leurs nouvelles. Il me semblait toujours être en compétition avec les fonds de construction, les nouveaux tapis pour la salle de communion fraternelle ou le concert chrétien du samedi soir suivant.

Malgré le message solennel de mort, de souffrance et de besoin que je présentais, les gens quittaient quand même les réunions en riant et en se racontant des potins. J'étais offusqué par l'esprit de jovialité dans les églises : cela me blessait. Souvent, nous sommes allés manger après que je leur ai partagé la tragédie des milliers de personnes qui meurent de faim chaque jour et des sans-abri qui vivent dans les rues d'Asie. Ces attitudes me portaient à la colère et au jugement. Je me sentais de plus en plus laid à l'intérieur et la dépression a fini par s'installer.

Au début de 1981, alors que je voyageais seul entre deux réunions dans une voiture empruntée près de Greensboro, en Caroline du Nord, tous les sentiments du surmenage psychologique m'ont envahi. Je me suis apitoyé sur moi-même, me plaignant de mon sort et de ma vie difficile.

Tout d'un coup, je me suis mis à trembler de peur. Soudainement, j'ai senti la présence d'une autre personne et j'ai réalisé que l'Esprit du Seigneur me parlait.

« Je ne suis pas en difficulté, me dit-il, et je n'ai pas besoin qu'on quête pour moi ou qu'on vienne à mon secours. Je n'ai pas fait de promesses que je ne garderai pas. Ce qui compte, ce n'est pas l'ampleur du travail, mais seulement que tu fasses ce que je te demande. Tout ce que je demande de toi c'est que tu sois un serviteur. Pour tous ceux qui se joindront à toi dans cette œuvre, ce sera un privilège, un fardeau léger. »

Les mots résonnaient dans ma tête. « Ceci est son ministère », me suis-je mis à penser. Pourquoi est-ce que j'en fais le mien? Le fardeau est léger. Pourquoi est-ce que je l'alourdis? Le travail est un privilège. Pourquoi est-ce que j'en fais une obligation pénible?

Je me suis aussitôt repenti de ma mauvaise attitude. Dieu partageait son œuvre avec moi et il me disait que d'autres se joindraient à moi. Même si je faisais encore le travail tout seul, c'était excitant de savoir que d'autres feraient équipe avec moi et que pour eux aussi le fardeau serait léger. Depuis ce jour, je ne me suis jamais senti écrasé sous la responsabilité de diriger Gospel for Asia. L'organisation de ce ministère est pour moi un travail plaisant et excitant. Même ma façon de prêcher a changé. Ma posture est différente. Aujourd'hui, la pression a disparu. Je ne ressens plus le besoin de quêter les gens ou de les culpabiliser.

Puisque le ministère de Gospel for Asia et tout le mouvement des missionnaires natifs résulte de l'initiative de Dieu, il n'a pas besoin de l'inquiétude et de la direction de l'homme. Que nous ayons comme but de soutenir dix mille ou dix millions de missionnaires, d'œuvrer dans dix ou dans cent états, ou que je sois appelé à superviser cinq ou cinq cents employés, je peux toujours approcher le travail sans stress. Car cette œuvre est celle de Dieu et notre fardeau est léger.

À l'époque, nous étions installés dans des bureaux loués à Dallas, et la mission ne cessait de se développer. Je sentais qu'il était temps de faire un grand pas en avant, et j'attendais une percée miraculeuse de la part de Dieu. Vers le milieu de 1981, nous avions des centaines de missionnaires natifs dans l'attente d'un soutien financier, et j'ai réalisé que nous en aurions bientôt des milliers. Je ne pouvais plus communiquer personnellement avec chaque commanditaire. Je savais que nous devions faire usage des médias de masse, mais je ne savais pas où commencer.

Puis, j'ai fait la connaissance du frère Lester Roloff.

Le frère Roloff est maintenant avec le Seigneur, mais de son vivant, il était un individu robuste, qui a prêché et servi de façon extraordinaire pendant 50 ans. Vers la fin de sa vie, je l'ai approché pour qu'il aide notre ministère. Au moment de fixer le rendez-vous, son employé m'a avisé qu'il n'avait que cinq minutes à me consacrer. Au grand étonnement de cet employé, il m'a accordé deux heures.

Lorsque j'ai parlé au frère Roloff du mouvement des missionnaires natifs, il m'a invité à participer à son émission de radio quotidienne, Family Altar. À l'époque, nous subvenions aux besoins de 100 missionnaires seulement, et le frère Roloff a annoncé en ondes qu'il allait lui-même en soutenir six de plus. Il a dit que j'étais un des plus grands missionnaires qu'il avait rencontrés et il a encouragé ses auditeurs à soutenir eux aussi des missionnaires natifs. Bientôt, nous recevions du courrier de tous les coins du pays.

En lisant les cachets de la poste et les lettres, j'ai réalisé à quel point les États-Unis et le Canada étaient grands. De tous les dirigeants chrétiens que j'ai rencontrés, le frère Roloff a été le premier à faire ce que je savais nécessaire. Il avait appris à s'adresser à la nation entière. Pendant des semaines, j'ai prié pour lui, demandant à Dieu de me montrer comment je pourrais travailler avec lui et apprendre de son exemple.

Lorsque j'ai eu la réponse, elle était très différente de tout ce que j'aurais pu imaginer. Le Seigneur m'a donné une idée qui aujourd'hui me paraît inhabituelle, presque bizarre. Je demanderais au frère Roloff de me prêter sa liste d'envoi et de me laisser demander à ces personnes de commanditer un missionnaire en Asie.

Tremblant, j'ai téléphoné à son bureau pour demander un autre rendez-vous. Il m'a reçu une nouvelle fois, mais il était très étonné par ma requête, me disant qu'il n'avait jamais prêté sa liste à qui que ce soit, pas même à ses meilleurs amis. De nombreuses agences avaient demandé à louer sa liste, mais il avait toujours refusé. Je croyais que ma cause était perdue, mais il a dit qu'il prierait à ce sujet.

Le lendemain, il m'a téléphoné pour me dire que le Seigneur lui avait dit de nous donner sa liste. Il a également offert d'écrire une lettre de recommandation et de m'inviter à son émission de radio pour faire une nouvelle entrevue au moment d'envoyer les lettres. J'étais transporté de joie, et j'ai loué Dieu. J'ai vite appris que ce n'était que le début du miracle.

Le frère Roloff avait une longue liste de noms, et l'impression d'une brochure, de ma lettre et de la sienne, en plus des frais de poste allaient coûter plus d'argent que ce que nous avions. Il semblait n'y avoir qu'une solution possible à notre problème; il nous faudrait emprunter l'argent, cette fois seulement, à même les fonds des missionnaires. J'y ai réfléchi maintes et maintes fois. Si je faisais bien mes calculs, je pourrais envoyer l'argent aux champs avec seulement quelques semaines de retard. Mais je n'étais pas en paix avec ce plan. J'avais toujours utilisé les fonds aux fins pour lesquelles ils avaient été désignés.

Quand le moment est arrivé d'envoyer l'argent aux champs missionnaires, j'ai dit à notre comptable d'attendre une journée, et j'ai prié. Toujours pas de paix. Le lendemain, je lui ai demandé d'attendre une autre journée, et je suis retourné prier et jeûner. Toujours pas de paix. J'ai retardé l'envoi d'une autre journée, et Dieu ne m'a toujours pas autorisé à utiliser les fonds des missionnaires.

J'étais misérable. Finalement, j'ai décidé que je ne pouvais pas trahir la confiance de nos donateurs, même pour l'œuvre du Seigneur. J'ai dit à ma secrétaire d'envoyer l'argent.

Je réalise maintenant que cela a été l'une des plus grandes épreuves de foi à laquelle le ministère a dû faire face. C'était notre première chance d'augmenter le nombre de donateurs et de revenus de façon considérable, mais il fallait le faire avec intégrité ou ne pas le faire du tout.

Une demi-heure après avoir envoyé le chèque, le téléphone a sonné. C'était un couple que j'avais rencontré une seule fois à l'un de nos banquets annuels à Dallas. Tous les deux avaient prié pour nous aider, et Dieu m'avait mis dans leur cœur. Ils ont demandé à venir me voir et ils voulaient savoir de quoi j'avais besoin.

Après leur avoir fait part de ce qu'il en coûterait pour imprimer et poster nos documents, ils ont accepté de payer le montant total, soit près de 20 000 $. Ensuite, l'imprimeur était tellement ému par le projet qu'il a tout fait gratuitement! Il est clair que

Dieu avait voulu me mettre à l'épreuve. Il a miraculeusement prouvé qu'il pourvoirait à nos besoins si nous lui obéissions.

Le travail d'illustrations a été envoyé chez l'imprimeur, et peu après, les lettres étaient prêtes à envoyer au bureau de poste. J'avais préparé une émission de radio spéciale pour coïncider avec l'arrivée des envois, et les enregistrements avaient déjà été expédiés aux stations radiophoniques dans plusieurs villes du pays.

Le synchronisme était important. Les envois postaux devaient partir lundi. Nous étions vendredi et il n'y avait pas d'argent dans les fonds pour couvrir les frais de poste. Cette fois, il n'était pas question d'emprunter de l'argent dans les fonds des missionnaires. Il est resté bien à sa place.

J'ai convoqué une réunion de prière spéciale, et nous nous sommes réunis le soir même chez moi. Le Seigneur m'a finalement donné la paix; nos prières seraient exaucées, j'en étais certain. Après que tous mes partenaires de prière sont retournés chez eux, le téléphone a sonné. C'était une de nos commanditaires de Chicago. Dieu lui avait parlé toute la journée pour qu'elle nous fasse un don de 5000 $.

« Dieu soit loué! », lui ai-je dit.

L'épisode postal s'est avéré être un autre tournant dans l'histoire de Gospel for Asia. Nous avons recruté beaucoup de nouveaux donateurs et doublé le nombre d'évangélistes que nous soutenions.

Au cours des années qui ont suivi, d'autres leaders chrétiens, comme Bob Walker de Christian Life Missions et David Mains de Chapel of the Air nous ont aidés de la même manière. Un grand nombre des personnes qui se sont associées à notre ministère à la suite de ces premiers envois postaux nous ont aidés depuis à prendre de l'expansion, nous fournissant une base de contacts dans tous les états du pays.

Dieu nous a donné un message clair pour le corps de Christ,

un appel à reprendre la mission de l'Église. Partout où j'allais, je prêchais ce même message, un appel prophétique à mes frères et sœurs en Christ, de la part des millions de personnes dans le tiers monde. En entendant ce message, des milliers de croyants ont commencé à modifier leur style de vie et à se conformer aux exigences de l'Évangile.

Huit

Un jour nouveau dans les missions

Des centaines de croyants consacrés soutenaient alors des missionnaires natifs de l'Asie. Malgré ce succès, de nombreuses choses me brisaient le cœur, tout particulièrement la condition des chrétiens d'Amérique. Qu'était devenu le zèle pour les missions et l'entraide qui faisait la fierté de cette nation? Soir après soir, je me tenais devant des auditoires, faisant de mon mieux pour communiquer les réalités qui existent à la grandeur de notre planète. Mais mon message ne semblait pas passer. Je distinguais nettement que leur mission ne s'accomplissait pas et je me demandais pourquoi ils ne la voyaient pas.

J'avais devant moi des gens très privilégiés, un peuple plus apte, plus riche et plus libre pour réaliser la Grande Mission que n'importe quelle autre nation de toute l'histoire du monde... mais ils ne semblaient pas le comprendre. Ce qui était encore plus déroutant, c'est que les gens qui me recevaient étaient fondamentalement bons, souvent généreux et spirituellement doués. Comme l'Église de Corinthe au premier siècle, ils semblaient exceller dans tous les domaines spirituels.

J'ai donc demandé au Seigneur de me dire pourquoi je n'arrivais pas à faire passer le message. Je savais que le mouvement des missionnaires natifs était vraiment la volonté de Dieu, mais alors pourquoi les gens étaient-ils si lents à répondre?

Il était évident que quelque chose n'allait pas. Satan avait tendu un piège, ou peut-être même plusieurs pièges, dans l'esprit des chrétiens d'Amérique. Manifestement, ils avaient perdu de vue la mission évangélique, délaissé l'héritage missionnaire, l'appel de Dieu qui repose toujours sur cette nation.

Dans mes prières, j'ai commencé à demander à Dieu de me donner un message qui pourrait susciter un changement dans les habitudes de vie de l'Église américaine. La réponse m'est parvenue après quelques semaines. Et le message était haut et fort : à moins que les chrétiens ne se repentent, sur une base individuelle et unanime en tant que communauté de croyants, un jugement terrible tombera sur l'Amérique.

J'étais certain, comme je le suis encore aujourd'hui que, dans son amour, Dieu étend toujours sa grâce et son pardon sur son peuple. À mon avis, le malaise qui s'est répandu comme un cancer sur les croyants américains est attribuable à deux choses. La première se rapporte à l'histoire. La seconde, aux péchés non confessés dans les domaines de l'orgueil, de l'incrédulité et de l'attachement aux biens de ce monde.

Historiquement, l'Église du monde occidental a perdu prise sur le défi des missions mondiales à la fin de la Seconde Guerre mondiale. Depuis, le mandat et la vision qu'elle avait d'évangéliser le monde s'estompent toujours de plus en plus. Pour un grand nombre de croyants américains qui entendent le mot « missionnaire », il leur vient en tête des images caricaturales de petits hommes coiffés d'un casque colonial et de cannibales tenant des lances à côté d'une grosse marmite d'eau bouillante.

Malgré un vaillant effort de la part de nombreux dirigeants et de missions évangéliques, le mouvement missionnaire américain n'arrive plus à suivre l'explosion de la population et les nouvelles réalités politiques nationalistes du tiers monde. Pour la plupart des chrétiens en Amérique du Nord, les missionnaires sont des « blancs » aux cheveux blonds et aux yeux bleus qui vont vers les peuples à la peau foncée du tiers monde. En réalité, tout cela a changé à la fin de la Seconde Guerre mondiale, quand les puissances de l'Ouest ont perdu le contrôle politique et militaire qu'ils avaient sur leurs anciennes colonies.

Quand je m'adresse à des Américains, dans les églises et les conférences missionnaires, ils sont étonnés d'entendre ce qui se passe réellement dans les missions aujourd'hui. Le travail de première ligne en Asie a presque entièrement été repris par des missionnaires indigènes, et les résultats obtenus sont extraordinaires. Les croyants sont surpris d'apprendre que des missionnaires natifs de l'Asie fondent chaque semaine des centaines d'églises au tiers monde, que des milliers de personnes se convertissent chaque jour à Christ et que des dizaines de milliers d'hommes et de femmes qualifiés et fermes dans leur foi sont prêts à lancer d'autres œuvres missionnaires si nous leur faisons parvenir les ressources financières indispensables.

En Inde, où l'accès est à présent refusé aux missionnaires-évangélistes occidentaux, l'Église grandit et reçoit plus d'aide que jamais auparavant. La Chine est un autre exemple de cette nouvelle réalité. Lorsque les communistes ont chassé les missionnaires occidentaux et fermé les églises en 1950, tout laissait croire que le christianisme était mort. En fait, on a emprisonné la plupart des dirigeants bien connus, et une génération entière de pasteurs chinois a été tuée ou a disparu dans les prisons communistes et les chambres de torture.

Aujourd'hui, cependant, la communication a repris avec la Chine et on dit que plus de 500 000 Églises clandestines sont nées durant la persécution communiste.[1] Même si les données concernant le nombre de chrétiens en Chine aujourd'hui varient beaucoup, on estime qu'il y en a à l'heure actuelle à peu près cinquante millions, comparativement à un million au moment où les missionnaires occidentaux ont été expulsés.[2] Encore une fois, tout cela s'est produit sous la direction spirituelle du mouvement de l'Église indigène.

D'un point de vue historique, il n'est pas difficile de retracer la façon dont la pensée occidentale a été embrouillée par la marche de l'histoire. Au début des années 50, la destruction des missions coloniales faisait la manchette. Quand les portes de la Chine, de l'Inde, du Myanmar (ou Birmanie), de la Corée du Nord, du Nord-Vietnam (ou République démocratique du Viêt Nam) et de nombreuses autres nouvelles nations indépendantes se sont fermées sur les missionnaires occidentaux, il était naturel que les Églises traditionnelles et les missions confessionnelles s'imaginent que c'était leur fin.

Bien sûr, la croissance des missions évangéliques durant la même période prouve qu'il n'en était rien. Mais beaucoup de gens étaient convaincus que l'époque des missions était révolue.

À l'exception de l'appel à la mission lancé une fois par an dans la plupart des églises, bon nombre de Nord-Américains avaient perdu espoir de voir s'accomplir la grande mission de Christ à l'échelle mondiale. Même si on ne le mentionnait que très rarement, l'idée était que rien ne se passerait si les missions d'Amérique du Nord et de l'Europe de l'Ouest ne s'en occupaient pas.

Les fonds missionnaires ayant servi autrefois à proclamer l'Évangile étaient maintenant dirigés vers les programmes sociaux d'entraide auxquels s'intéressaient davantage les nouveaux gouvernements des anciennes colonies. On a développé une théologie des missions qui de nos jours compare parfois les activités sociales et politiques à l'évangélisation.

Beaucoup de missionnaires occidentaux, qui sont demeurés en

Asie, ont eux aussi été affectés par la montée du nationalisme. Ils ont commencé à se retirer de l'évangélisation et de la formation de disciples, et à se concentrer davantage sur la radiodiffusion, l'éducation, les soins médicaux, la publication, et l'aide humanitaire et sociale. Lorsque ces missionnaires rentraient chez eux, dans l'Ouest, ils continuaient de transmettre l'idée que le mouvement des missionnaires indigènes signifiait non seulement le retrait du personnel occidental, mais également celui de l'aide financière et de toute autre forme de soutien.

Pendant ce temps, le débat parmi les dirigeants occidentaux sur l'avenir des missions faisait rage, produisant des bibliothèques entières de livres ainsi que des recherches très utiles. Malheureusement, cela a entraîné un résultat global extrêmement négatif pour le chrétien. Les croyants d'aujourd'hui n'ont aucune idée qu'un jour nouveau vient de se lever dans les missions et que les missionnaires ont plus que jamais besoin de leur soutien.

Il est vrai que, dans bien des cas, il est impossible, pour des raisons politiques, d'envoyer des missionnaires occidentaux outre-mer, mais les croyants de l'Amérique du Nord ont toujours un rôle vital à jouer pour nous aider à accomplir la tâche au tiers monde. Je loue Dieu pour l'œuvre de pionniers comme Hudson Taylor et bien d'autres qui ont été envoyés dans le passé par des croyants d'ici. Aujourd'hui, dans des pays comme l'Inde, nous devons plutôt envoyer de l'aide technique et financière aux évangélistes natifs et à ceux qui enseignent la Parole.

Imaginez la portée de votre engagement dans l'œuvre de la Grande Mission si vous arrivez à convaincre les membres de votre Église et de votre famille de se joindre à vous pour soutenir les missionnaires natifs de l'Asie.

Imaginez un peu la situation qui suit. Vous arrivez à la fin de votre vie terrestre et vous entrez au ciel. Là, trônant dans toute sa gloire, est notre Seigneur Jésus-Christ. Les saints et les martyres dont vous avez lu les histoires sont là : Abraham, Moïse, Pierre et Paul, de même que d'autres grands leaders qui ont vécu plus récemment. Les membres de votre famille et vos proches qui ont accepté l'Évangile sont également sur place. Ils sont tous venus pour vous accueillir au paradis. Vous marchez dans le bonheur suprême, rempli de joie et de louanges. Les promesses de la Bible se sont toutes réalisées : les rues sont vraiment pavées d'or, la gloire de Dieu brille avec éclat, remplaçant le soleil, la lune et les étoiles. L'être humain ne peut décrire cette scène.

Puis, une foule d'étrangers que vous ne reconnaissez pas s'approchent de vous, affichant de larges sourires et vous tendant les mains. Ils vous embrassent avec affection et gratitude.

Tous en chœur, ils répètent : « Merci... Merci... Merci... » Surpris, vous leur demandez : « Qu'est-ce que j'ai fait? Je ne vous ai jamais vu auparavant. »

Ces personnes vous racontent alors comment elles sont arrivées au ciel, après avoir été touchées par votre amour et votre altruisme pendant qu'elles étaient sur terre. Vous réalisez que ces gens proviennent, comme le dit la Bible, « de toute tribu, de toute langue ». Ils viennent de l'Inde, du Bangladesh, du Bhutan, du Sri Lanka et de la Malaisie.

Vous demandez encore : « Mais qu'ai-je fait au juste? » Et puis, comme si on rediffusait une vidéo, votre esprit retourne à ce jour au cours de votre vie sur terre où un coordonnateur régional de mission était venu à votre église. Il vous avait parlé des millions d'âmes perdues en Asie, des 400 millions de personnes en Inde seulement qui n'avaient jamais entendu l'Évangile.[3] Il vous avait parlé de la terrible pauvreté dans laquelle vivaient les missionnaires natifs et avait sollicité votre appui.

La foule d'Asiatiques continue : « Grâce à votre aide, un des nôtres, un évangéliste national, est venu nous parler de l'Évangile et du royaume. Il avait, comme nous, une vie simple, il parlait notre langue et portait les mêmes vêtements que nous.

Il était donc facile pour nous d'accepter son message. Pour la première fois, nous avons compris que Jésus nous aimait, qu'il est mort sur la croix pour nous et que son sang nous a délivrés de nos péchés, de Satan et de la mort. »

Alors que la foule finit de vous remercier, des familles entières s'approchent de vous. Leurs visages reflètent également l'affection et la gratitude. Ces personnes se joignent aux autres, vous prennent dans leurs bras et vous remercient une fois de plus.

« Comment vous exprimer notre reconnaissance pour l'amour et la bonté que vous nous avez démontrés sur la terre en nous soutenant dans nos efforts éprouvants pour servir le Seigneur? Souvent, nous avons été privés de nourriture, et nos enfants demandaient du lait, mais nous n'en avions pas à leur donner. Ignorés et abandonnés des nôtres, nous avons cherché à partager la Bonne Nouvelle à notre peuple, qui n'avait jamais entendu l'Évangile. Ces gens sont maintenant ici avec nous pour l'éternité.

« Au milieu de nos souffrances, vous êtes entré dans notre vie par vos prières et votre soutien financier. Votre aide nous a tellement soulagés et nous a permis de poursuivre l'œuvre du Seigneur.

« Nous n'avons pas eu l'occasion de vous voir face à face sur la terre, mais maintenant, nous passerons l'éternité ici à nous réjouir avec vous des victoires du Seigneur. »

Puis, Jésus lui-même apparaît. Vous vous prosternez pendant qu'il vous cite un passage bien connu de la Bible : « J'ai eu faim, et vous m'avez donné à manger; j'ai eu soif, et vous m'avez donné à boire; j'étais étranger, et vous m'avez recueilli; j'étais nu, et vous m'avez vêtu; [...] en vérité, toutes les fois que vous avez fait ces choses à l'un de ces plus petits de mes frères, c'est à moi que vous les avez faites » (Matthieu 25.35-36, 40).

Est-ce une scène fictive, ou sera-ce la réalité pour des milliers de chrétiens de l'Amérique du Nord? Je crois que cela pourrait se produire quand des chrétiens arriveront au ciel et verront les trésors qu'ils ont amassés là où la teigne et la rouille ne détruisent point.

Chaque fois que je m'adresse à un groupe, j'essaie dès le début de mon message de poser deux questions très importantes que tous les chrétiens doivent se poser :

- D'après vous, pour quelle raison Dieu a-t-il permis que vous veniez au monde dans l'abondance matérielle et spirituelle en Amérique du Nord ou en Europe plutôt que parmi les pauvres en Afrique ou en Asie?
- À la lumière de la surabondance dont vous jouissez ici, quelle est votre responsabilité minimale envers les millions de personnes souffrantes et perdues du tiers monde?

Vous êtes né au sein de l'élite privilégiée de ce monde. Vous possédez de grandes richesses alors que d'autres personnes en ont si peu. Réfléchissez un instant à la différence considérable existant entre votre pays et ceux sans héritage chrétien.

- Le quart des habitants de la terre, dont la plupart sont en Asie, vivent avec un revenu inférieur à un dollar par jour.[4] Le revenu national brut par personne en Asie du Sud est de seulement 460 $ par année. Les Américains gagnent en moyenne 77 fois plus, et les chrétiens, qui vivent pour la plupart dans la moyenne supérieure, gagnent encore plus. Dans la majorité des pays où Gospel for Asia soutient le mouvement des missionnaires natifs, un bon salaire se situe entre un et trois dollars par jour. Tandis qu'une bonne partie de la population du monde se soucie principalement de son prochain repas, les Nord-

Américains passent la majeure partie de leur temps à planifier des achats inutiles.

- Ceux qui demeurent aux États-Unis, au Canada, en Australie et en Europe jouissent de la liberté de choix. La liberté politique, la liberté d'expression, de presse et d'assemblée, la liberté de louer Dieu et d'organiser des ministères religieux, la liberté de choisir où et comment on vivra, la liberté de s'organiser soi-même pour corriger les injustices et les problèmes, aussi bien chez soi qu'à l'étranger, sont des acquis.

- Les loisirs et les revenus disponibles, bien que cela ne soit pas inscrit dans la loi, libèrent les citoyens du monde occidental des besoins fondamentaux qui rendent la vie si difficile dans beaucoup d'autres parties du monde.

- Nous avons accès à un vaste réseau de services dans les domaines de la communication, de l'éducation, des finances, des médias et du transport, ce qui rend l'adaptation plus facile. L'inaccessibilité à ces services est un handicap énorme pour ceux qui vivent ailleurs dans le monde.

- Finalement, il existe peu de besoins domestiques essentiels non comblés. Même si certaines régions connaissent un taux de chômage important, ce taux est plusieurs fois plus élevé dans presque tous les pays du tiers monde. Combien d'entre nous saisissent la souffrance que vivent des millions de personnes affamées et sans-abri dans des nations comme le Bangladesh? À l'étranger, les problèmes se retrouvent à grande échelle. Certaines nations se battent pour s'en sortir, mais échouent lamentablement.

Cette liste illustre les nombreux avantages de la vie dans les pays occidentaux, où les bienfaits proviennent en grande partie de l'héritage chrétien.

Neuf

L'œuvre missionaire est-elle une option?

Si l'apôtre Paul n'avait pas apporté l'Évangile en Europe, des principes fondamentaux comme la liberté et la dignité humaine ne feraient pas partie de l'héritage américain. Puisque l'Esprit Saint lui a dit de se détourner de l'Asie et de se diriger vers l'ouest, l'Amérique a été bénie par ses systèmes judiciaire et économique, qui lui ont permis de devenir riche et libre.

De plus, les États-Unis sont l'un des seuls pays au monde fondés par des croyants en Christ qui se sont engagés envers Dieu à lui dédier une nouvelle nation.

Nés dans l'abondance, la liberté et les bénédictions divines, les Américains devraient être le peuple le plus reconnaissant sur terre.

Mais aux privilèges s'ajoute également une responsabilité. Le chrétien doit non seulement se demander pourquoi il bénéficie de toutes ces faveurs imméritées, mais aussi ce qu'il doit en faire.

D'un bout à l'autre de l'Écriture, nous voyons qu'il n'y a qu'une chose à faire quand on est dans l'abondance : partager.

Dieu donne à certaines personnes plus que ce dont elles ont besoin afin qu'elles puissent être des canaux de bénédictions pour d'autres. Dieu désire qu'il y ait de l'équité chez son peuple, sur toute la terre. C'est pour cette raison que l'Église du premier siècle n'était pas pauvre.

L'apôtre Paul a écrit aux riches chrétiens de l'Église de

Corinthe : « Car il s'agit, non de vous exposer à la détresse pour soulager les autres, mais de suivre une règle d'égalité : dans la circonstance présente votre superflu pourvoira à leurs besoins, afin que leur superflu pourvoie pareillement aux vôtres, en sorte qu'il y ait égalité » (2 Corinthiens 8.13-14).

La Bible dit et exige que nous fassions preuve d'amour envers les frères dans le besoin. En ce moment, pour des raisons historiques et économiques indépendantes de notre volonté, les frères dans le besoin résident en Asie. Les frères riches sont principalement en Amérique du Nord, en Europe, en Australie et en Nouvelle-Zélande. La conclusion est évidente : ces croyants fortunés doivent partager leur abondance avec les Églises qui en ont moins.

« Nous savons que nous sommes passés de la mort à la vie, parce que nous aimons les frères [...] Si quelqu'un possède les biens du monde, et que, voyant son frère dans le besoin, il lui ferme ses entrailles, comment l'amour de Dieu demeure-t-il en lui? Petits enfants, n'aimons pas en paroles et avec la langue, mais en actions et avec vérité » (1 Jean 3.14, 17-18).

Et « [mes] frères, que sert-il à quelqu'un de dire qu'il a la foi, s'il n'a pas les œuvres? Cette foi peut-elle le sauver? Si un frère ou une sœur sont nus et manquent de la nourriture de chaque jour, et que l'un d'entre vous leur dise : "Allez en paix, chauffez-vous et rassasiez-vous!" et que vous ne leur donniez pas ce qui est nécessaire au corps, à quoi cela sert-il? Il en est ainsi de la foi : si elle n'a pas les œuvres, elle est morte en elle-même » (Jacques 2.14-17).

Est-ce que l'œuvre missionnaire est une option, surtout pour un pays aussi riche que les États-Unis? La Bible est claire sur ce point; chaque chrétien d'Amérique a un minimum de responsabilité à l'égard de l'aide apportée aux frères et sœurs pauvres des églises d'autres pays.

Dieu n'a pas accordé cette surabondance de bénédictions

aux chrétiens occidentaux pour qu'ils puissent se détendre et profiter du luxe de cette société, ou même pour qu'ils se gavent de livres, d'enregistrements, d'enseignements et de conférences spirituelles. Il nous a laissés sur cette terre afin que nous soyons les intendants de ces bénédictions spirituelles et matérielles, que nous apprenions à les partager avec d'autres et que nous administrions notre richesse de manière à accomplir la volonté de Dieu.

Qu'est-ce que cela veut dire? Dieu nous appelle, en tant que chrétiens, à modifier notre style de vie, à renoncer à ce qui n'est pas essentiel de sorte que nous puissions mieux investir dans son royaume.

Pour commencer, j'encourage les croyants à mettre de côté un dollar par jour pour aider à soutenir financièrement un missionnaire natif au tiers monde. Évidemment, cela doit s'ajouter aux autres engagements qu'on a pris envers l'église locale et d'autres ministères. Je ne demande pas que les chrétiens redirigent les dons qu'ils font déjà à d'autres organismes vers les missions en Asie, mais bien d'être plus généreux qu'ils le sont déjà. C'est une chose que la plupart des gens ont les moyens de faire.

Des millions de croyants nord-américains et européens peuvent facilement atteindre ce but en se privant de biscuits, de gâteaux, de sucreries, de café et d'autres boissons. De toute manière, ces produits sont nocifs pour la santé, et n'importe qui peut économiser suffisamment d'argent ainsi pour soutenir un ou deux missionnaires par mois. Beaucoup de gens font encore plus que cela, sans pour autant affecter leur santé ou leur bonheur, et arrivent à parrainer plusieurs missionnaires chaque mois.

Il y a évidemment bien d'autres façons de participer à l'œuvre. Certaines personnes à court de ressources financières supplémentaires peuvent consacrer du temps à la prière et aider à recruter d'autres commanditaires. D'autres sont appelés à aller outre-mer pour participer plus directement à l'œuvre missionnaire sur le terrain. Mais j'oserais dire que le plus gros obstacle à l'évangélisation mondiale actuellement, c'est le manque d'engagement de la part du corps de Christ. Je suis convaincu qu'il y a suffisamment de donateurs potentiels pour soutenir tous les missionnaires nécessaires à l'évangélisation du tiers monde.

Le mouvement des missionnaires indigènes est relativement nouveau, et beaucoup de chrétiens n'ont pas encore été sollicités à y participer. Mais cela a peu d'importance. La réalité est bien plus fondamentale et destructible. Il y a trois raisons majeures qui empêchent le corps de Christ de contribuer à l'évangélisation mondiale, qui sont les péchés de l'orgueil, de l'incrédulité et de l'attachement aux choses de ce monde.

Demandez à n'importe quel chrétien pourquoi Dieu a détruit Sodome et il vous dira que c'était à cause de l'immoralité des habitants de cette ville. Cependant, Ézéchiel nous révèle la véritable raison : « Voici quel a été le crime de Sodome, ta sœur. Elle avait de l'orgueil, elle vivait dans l'abondance et dans une insouciante sécurité, elle et ses filles, et elle ne soutenait pas la main du malheureux et de l'indigent. Elles sont devenues hautaines, et elles ont commis des abominations devant moi. Je les ai fait disparaître, quand j'ai vu cela » (Ézéchiel 16.49-50).

Les habitants de Sodome ont refusé d'aider le malheureux et le pauvre parce qu'ils étaient orgueilleux. Notre pays est enflé d'orgueil tout comme Sodome. En effet, l'égoïsme et la perversion viennent de l'orgueil, mais nous devons comprendre que l'orgueil est la réelle racine de ces péchés. Soignez cette racine et vous enrayez une multitude de péchés avant même qu'ils n'aient le temps de pousser.

Un soir, alors que je donnais une conférence dans une église, le conseil d'administration a demandé à me rencontrer en privé après mon discours pour connaître mon opinion sur un nouveau projet missionnaire auquel il envisageait de prendre part. Comme je venais de prêcher et que j'étais très fatigué, je n'avais pas envie de participer à une réunion du conseil d'Église. Cette réunion, à laquelle assistaient 22 membres, a commencé de la façon habituelle, mais elle ressemblait davantage à une réunion d'affaires de IBM ou General Motors qu'à une réunion du conseil d'Église.

Le présentateur a fait ce qui ressemblait à une impressionnante proposition d'affaires. Le plan consistait à déplacer des missionnaires du tiers monde en Asie vers l'Amérique latine. L'idée était très futuriste et donnait l'impression de faire avancer les missions mondiales d'un grand pas. Toutefois, une sonnerie d'alarme s'est déclenchée dans ma tête. À mon avis, tout cela ressemblait étrangement aux pratiques des missions coloniales du XIXe siècle, présentées sous un aspect différent.

Le Seigneur m'a dit clairement : « Mon fils, ce soir tu vas parler à des hommes qui sont tellement autosuffisants qu'ils ne m'ont jamais consulté au sujet de ce plan. Ils me croient impuissant. »

Lorsque le président d'assemblée m'a enfin demandé ce que je pensais du projet, je me suis levé et j'ai cité une partie de Matthieu 28.18-20 : « Tout pouvoir m'a été donné dans le ciel et sur la terre. Allez, faites de toutes les nations des disciples [...] et enseignez-leur à observer tout ce que je vous ai prescrit. Et voici, je suis avec vous tous les jours... »

Puis, j'ai refermé ma bible, je les ai tous regardés dans les yeux et j'ai dit : « S'il est avec vous, alors vous le représenterez. Vous ne ferez pas que l'imiter, vous exercerez son autorité. Où est la puissance de Dieu dans ce plan? »

Je n'ai pas eu besoin de parler très longuement. Le Saint-Esprit avait oint mes paroles et tous semblaient avoir compris.

Ensuite, j'ai demandé : « Combien de fois vous êtes-vous

réunis pour prier? Avez-vous consacré une seule journée à prier pour connaître la volonté de Dieu concernant votre stratégie de mission? » À voir leurs yeux, il était évident qu'ils n'avaient pas prié longtemps à propos de leur budget, qui était alors dans les centaines de milliers de dollars. La discussion s'est poursuivie jusqu'à 1 h 30 de la nuit, avec un nouvel esprit de repentance dans la pièce.

À la fin de la réunion, le dirigeant m'a avoué : « Mon frère, vous avez détruit tout notre travail ce soir, mais maintenant, nous sommes prêts à attendre le plan de Dieu. »

Ce genre d'humilité ramènera l'Église dans la volonté et le plan d'ensemble de Dieu. Les églises de notre époque n'expérimentent pas la puissance et l'onction de Dieu dans leurs ministères parce qu'elles n'ont pas l'humilité nécessaire pour attendre après lui. Ce péché fait en sort qu'une grande partie du monde n'a encore jamais entendu l'Évangile.

Très peu de chrétiens dépendent totalement de Dieu dans leur travail d'évangélisation. Tout comme les frères et les sœurs de cette grande église, nous avons conçu des méthodes, des plans et des techniques pour « accomplir » l'œuvre de Dieu. Ceux qui y sont engagés ne ressentent pas le besoin de prier ou d'être remplis du Saint-Esprit pour exécuter l'œuvre de Jésus.

Nous nous sommes bien éloignés de la foi des apôtres et des prophètes! Quelle tragédie lorsqu'on fait entrer les techniques du monde et leurs agents dans le sanctuaire de Dieu. Ce n'est qu'à partir du moment où nous cessons de croire en nos propres capacités que Dieu peut nous utiliser. Quand un conseil d'Église ou d'œuvre missionnaire passe plus de temps en consultation, en planification ou en réunion que dans la prière, il est clair que les membres ont perdu contact avec le divin et, dans les mots de Watchman Nee, ils « servent la maison de Dieu et ont oublié le Seigneur lui-même. »

Le péché d'orgueil est une forme de racisme à la fois subtil et profond. Au cours de mes voyages, j'entends souvent des questions aux airs innocents telles que : « Comment peut-on savoir si l'Église en Asie est prête à gérer les fonds? » Ou encore : « Quel genre de formation les missionnaires natifs ont-ils reçue? »

Si ces questions sont basées sur un désir sincère d'être de bons administrateurs, elles sont louables, mais, dans bien des cas, j'ai remarqué que les raisons pour lesquelles on pose ces questions sont beaucoup moins honorables. Les Occidentaux refusent d'accorder la même confiance aux Asiatiques qu'à leurs compatriotes. Si nous croyons qu'un missionnaire natif est réellement appelé comme évangéliste, nous devons faire confiance à Dieu et céder notre intendance à cet homme et à ses anciens, de la même manière que nous le ferions avec un frère de notre société. L'idée de vouloir garder le contrôle sur les missions étrangères et leurs fonds depuis un comité installé dans un autre pays n'est rien d'autre qu'une poursuite du colonialisme. En agissant ainsi, on ne ferait qu'ajouter un élément non biblique qui, à la longue, finirait par humilier et affaiblir les missionnaires natifs.

Les chrétiens ont besoin de comprendre qu'ils ne donnent pas leur argent à des missionnaires nationaux, mais qu'ils donnent l'argent de Dieu à ses ouvriers outre-mer.

Voici d'autres manifestations de l'orgueil : au lieu de glorifier les héros batailleurs américains, les chrétiens feraient mieux de rester tranquillement assis en attendant que Dieu manifeste sa puissance dans leurs activités spirituelles.

Les chrétiens ont besoin de retrouver et de développer, de façon personnelle, certaines disciplines spirituelles qu'ils ont perdues, à savoir la contemplation, le jeûne, l'écoute, la méditation, la prière, le silence, la mémorisation des Écritures, la soumission et la réflexion.

Beaucoup de dirigeants chrétiens sont pris dans des problèmes secondaires qui sapent leur temps et leur énergie. Je n'oublierai jamais le jour où j'ai prêché dans une église dont le pasteur avait lancé une croisade pour la défense d'une certaine version anglophone de la Bible. Non seulement il passait la majeure partie de son temps à parler en faveur de son idée, mais il a investi des milliers de dollars dans la publication de livres, de brochures et de livrets qui prônent l'utilisation de cette seule version de l'Écriture.

Depuis que je vis et que je travaille aux États-Unis, j'ai vu de nombreux chrétiens et des assemblées entières s'engager dans des campagnes et des causes similaires qui, sans être tout à fait mauvaises en soi, finissent par détourner l'attention de l'obéissance à Christ. Et dans ce sens, elles nuisent à l'établissement du royaume de Dieu. Des questions brûlantes, telles que l'inerrance, les dons charismatiques, les dernières révélations des enseignants itinérants, l'humanisme, ou tout autre thème qui fera son apparition demain, doivent être gardées en perspective. Il y aura toujours de nouveaux dragons à terrasser, mais il ne faut pas laisser ces questions secondaires nous empêcher d'accomplir notre tâche principale, qui consiste à bâtir et à étendre le royaume de Dieu.

Au cours de mes voyages en Asie, j'ai pu constater qu'il y a des divisions aussi violentes parmi les communautés chrétiennes et les théologiens, mais sur des questions différentes. J'ai donc réalisé que, très souvent, le malin se sert de ces divisions doctrinales pour nous tenir occupés à autre chose que l'Évangile.

Nous sommes menés par notre puissant amour-propre qui cherche toujours à avoir raison. Nous sommes esclaves d'une forte tendance à demander que tout se déroule selon notre volonté. Ce sont là, des manifestations de l'orgueil. Le contraire de l'orgueil, c'est l'humilité dans le service et le sacrifice en obéissance au commandement de Christ. Faire un sacrifice pour un frère inconnu, en appuyant financièrement son œuvre auprès d'un peuple étranger dans un pays étranger, au moyen de méthodes qui nous sont inconnues, requiert effectivement de l'humilité. Cependant, le soutien envers les frères d'Asie commence par ce genre d'engagement humble, et doit continuer dans le même esprit. Malheureusement, notre orgueil se met souvent en travers de la voie du progrès.

Dix

Dieu retient son jugement

Méfiez-vous des vantards, ils cachent habituellement quelque chose. Beaucoup de chrétiens évangéliques occidentaux se vantent de leur dévotion à la Parole. Il est difficile de trouver une Église qui ne s'est jamais vantée de croire en la Bible. À mon arrivée aux États-Unis, j'ai fait l'erreur de prendre cette déclaration au pied de la lettre.

Mais j'ai fini par réaliser que beaucoup de chrétiens évangéliques ne croient pas réellement la Parole de Dieu, en particulier quand elle parle de l'enfer et de jugement. Au lieu de cela, ils acceptent uniquement les passages qui leur permettent de préserver leur mode de vie actuel.

Il est pénible de penser à l'enfer et au jugement de Dieu. Je comprends les pasteurs qui n'aiment pas en parler, car c'est aussi mon cas. Il est tellement plus simple de prêcher : « Dieu vous aime et a un plan merveilleux pour votre vie » ou de se concentrer sur les nombreux aspects attrayants de la « pensée positive » et de « l'encouragement par la foi » qui offrent santé, richesse et bonheur. La grâce et l'amour de Dieu sont des sujets plaisants, et personne n'en a fait mieux la preuve que notre Seigneur Jésus. Pourtant, durant son ministère terrestre, il a davantage parlé de l'enfer et du jugement que du ciel. Jésus a vécu avec la réalité de l'enfer, et il est mort au Calvaire parce qu'il savait que l'enfer est la fin réservée à tous ceux qui ne se tournent pas vers Dieu dans cette vie ici-bas.

Les croyants sont prêts à accepter le concept du ciel, mais ils détournent le regard des passages de la Bible qui font référence à l'enfer. Très peu semblent croire que ceux qui meurent sans Christ s'en vont dans un lieu de tourment éternel, un abîme sans fond où le feu ne s'éteindra jamais, et où ils seront séparés éternellement de Dieu et de son amour sans possibilité de retour.

Si nous connaissions l'horreur du jugement potentiel qui pèse sur nous, si nous croyions vraiment à ce qui nous attend, nous vivrions très différemment. Pourquoi les chrétiens n'obéissent-ils pas à Dieu? Parce qu'ils sont incrédules.

Pourquoi Ève a-t-elle péché? Parce qu'elle ne croyait pas vraiment au jugement, elle ne croyait pas qu'elle mourrait en mangeant le fruit défendu. C'est pour cette même raison que plusieurs continuent de vivre dans le péché et la désobéissance.

La Crise de 1929 et les récessions que nous avons connues plus récemment ne représentent qu'une tape sur les doigts en comparaison de la pauvreté qui commence à se manifester, sans compter les bombes, la maladie et les désastres naturels. Mais pour l'instant, Dieu retient son jugement afin de nous donner le temps de nous repentir.

Seulement, il sera trop tard pour des millions de personnes du tiers monde, à moins que nous les secourions avant qu'ils ne tombent dans les ténèbres éternelles.

Pendant des années, je me suis efforcé de transmettre cette réalité dans nos conférences. J'ai finalement trouvé le bon moyen de le faire.

Je demande à mes auditeurs de tâter leur poignet et de trouver leur pouls. Ensuite, je leur explique que chaque battement représente la mort d'un Asiatique qui arrive en enfer sans avoir entendu une seule fois la Bonne Nouvelle de Jésus-Christ.

Je leur demande : « Et si l'une de ces pulsations représentait votre mère, votre père, votre femme ou votre mari, votre enfant... vous-même? »

Christ est mort pour ces millions d'Asiatiques qui meurent et vont en enfer. Nous disons que nous croyons cela, mais que faisons-nous de cette conviction? Sans les œuvres, la foi est morte.

Personne ne devrait aller en enfer aujourd'hui sans avoir entendu parler du Seigneur Jésus. À mon avis, c'est là une atrocité qui surpasse celle des camps de la mort de l'Allemagne d'Hitler ou de l'Union soviétique du temps de Staline. Aussi horribles que puissent être les 1,3 million d'avortements pratiqués annuellement aux États-Unis, la perte éternelle de millions d'âmes par an est une grande tragédie qui peut facilement être évitée à notre époque.

Si seulement un faible pourcentage des 80 millions de chrétiens se disant nés de nouveau dans ce pays parrainaient un missionnaire natif d'Asie, nous pourrions envoyer des centaines de milliers d'évangélistes dans les villages perdus du continent. Lorsque nous considérons la Grande Mission inachevée et la comparons à notre style de vie ou au calendrier d'activités de nos églises et organisations, comment expliquons-nous notre désobéissance? Nous devons nous repentir du péché de notre incrédulité face au jugement de Dieu.

C. T. Studd, célèbre athlète britannique et fondateur de Worldwide Evangelization Crusade (croisade d'évangélisation mondiale), a renoncé à ses réussites terrestres par amour pour Christ. Un article qu'avait écrit un athée l'a poussé à tenir cet engagement. L'auteur de cet article disait notamment :

> Si je croyais fermement, ainsi que des millions de personnes l'affirment, que la connaissance et la pratique d'une religion

dans cette vie influencent le destin d'une autre, la religion représenterait alors tout pour moi.

Je traiterais les plaisirs terrestres comme des déchets, les soucis de ce monde comme de la folie, et les pensées et les sentiments humains comme de la vanité. La religion serait dans mes pensées dès mon réveil, et la dernière image que je verrais avant que le sommeil me plonge dans l'inconscience. Je consacrerais tous mes efforts à cette seule cause.

Je ne ferais que penser aux jours à venir dans l'éternité. J'estimerais qu'une seule âme gagnée pour le ciel vaudrait une vie de souffrance.

Jamais les conséquences terrestres ne me lieraient les mains ou la langue. En aucun moment, la terre, ses joies et ses peines n'occuperaient mes pensées. Je m'efforcerais de ne penser qu'à l'éternité et aux âmes immortelles qui m'entourent et qui seraient bientôt éternellement heureuses ou éternellement misérables.

J'irais dans le monde et je prêcherais en tout temps, favorable ou non, et mon message serait :

« QUE SERT-IL À UN HOMME DE GAGNER TOUT LE MONDE, S'IL PERD SON ÂME? »[1]

Une autre iniquité qui mine l'Église occidentale est son attachement aux biens de ce monde. Un jour, pendant un voyage de 3200 kilomètres en voiture dans l'Ouest américain, je me suis fait un devoir d'écouter une station de radio chrétienne tout au long du trajet. Ce que j'ai entendu révélait beaucoup sur les motivations secrètes qui animent un grand nombre de chrétiens. Certaines émissions auraient été hilarantes si elles n'avaient pas profité de la crédulité des gens en faisant la promotion de la santé, de la richesse et du succès au nom du christianisme.

- Certains animateurs offraient de l'huile d'onction et des porte-bonheur à ceux qui envoyaient de l'argent et réclamaient ces cadeaux.
- Certains autres présentateurs offraient des linges de prière

qui avaient permis à quelques croyants d'obtenir entre 70 000 et 100 000 $, ainsi que des autos neuves, des maisons et la santé.

- Un annonceur différent a dit qu'il enverrait du savon qu'il avait béni. Toute personne qui utilisait ce savon conformément aux directives de l'annonceur serait délivrée de la malchance, des mauvais amis et de la maladie. Lui aussi promettait la richesse et toute autre chose que pouvait désirer l'utilisateur.

De telles escroqueries nous font bien sourire, mais le même genre de tromperie est commercialisé de façon plus subtile à tous les niveaux de cette société. Les revues, les émissions télévisées et les assemblées chrétiennes promeuvent souvent des athlètes connus, des reines de beauté, des hommes d'affaires et des politiciens qui « réussissent dans le monde tout en ayant Jésus! »

Aujourd'hui, les valeurs chrétiennes sont définies presque entièrement par la réussite telle qu'on peut voir sur les affiches publicitaires de Madison Avenue. C'est au point même où l'on mesure l'efficacité des ministères chrétiens d'après les critères de la maîtrise en gestion des affaires de l'université de Harvard.

Jésus a dit que le cœur se trouve là où les trésors sont gardés. Dans ce cas, que dirons-nous de certains chrétiens évangéliques? Ils s'endettent pour acheter des automobiles, des maisons et de l'ameublement dont ils n'ont probablement pas besoin. Ils sacrifient famille, Église et santé pour obtenir une promotion et faire avancer leur carrière. Je suis convaincu que tout cela n'est qu'une illusion orchestrée par le prince de ce monde dans le but de piéger et de détruire les chrétiens actifs, et les empêcher ainsi d'annoncer l'Évangile à ceux qui en ont besoin.

Jean a dit dans sa première épître : « N'aimez point le monde, ni les choses qui sont dans le monde. Si quelqu'un aime le monde, l'amour du Père n'est point en lui; car tout ce qui est dans le monde, la convoitise de la chair, la convoitise des yeux, et l'orgueil de la vie, ne vient point du Père, mais vient du monde. Et le monde passe, et sa convoitise aussi; mais celui qui fait la volonté de Dieu demeure éternellement » (1 Jean 2.15-17).

Le témoignage qu'on entend habituellement dans les médias ressemble plutôt à ceci : « J'étais malade et fauché, un raté, puis, un jour, j'ai rencontré Jésus. Maintenant, tout va bien. Mes affaires prospèrent et je réussis très bien. »

Quel témoignage merveilleux! Devenez un chrétien et vous aurez une maison plus grande, un yacht et des vacances en Terre sainte.

Mais si c'était vraiment ainsi que Dieu voulait les choses, les croyants qui vivent dans des pays antichrétiens et au tiers monde se retrouveraient dans une bien fâcheuse position. Le témoignage de ces personnes ressemble habituellement à ceci :

« J'étais heureux. J'avais tout : prestige, renommée, un bon emploi, une femme et des enfants heureux. Puis, un jour, j'ai donné ma vie à Jésus. Aujourd'hui, je me retrouve en Sibérie et j'ai perdu ma famille, ma fortune, ma réputation, mon emploi et ma santé.

« Je vis ici dans la solitude, abandonné de mes amis. Je ne peux voir ma femme et mes précieux enfants. Mon seul crime, c'est d'aimer Jésus. »

Qu'en est-il des héros de la foi des temps passés? Les apôtres ont donné leur vie pour le Seigneur. Toutes les pages de l'histoire contiennent des noms de martyrs chrétiens.

Dans l'ancienne Union soviétique, Ivan Moiseyev a été torturé et tué à peine deux ans après avoir connu Jésus-Christ. Après avoir passé vingt ans dans une prison en Chine, Watchman Nee a terminé sa vie comme esclave.

Lorsque Sadhu Sundar Singh, né et élevé dans la maison d'un

riche sikh du Punjab, est devenu chrétien, sa famille a essayé de l'empoisonner et l'a chassé de la maison. Il a été déshérité et est parti avec les vêtements qu'il avait sur le dos. Malgré tout, en suivant son Maître, il a grandement enrichi des millions de gens par la foi en Christ. De même, les missionnaires qui sont soutenus par Gospel for Asia doivent souvent souffrir pour tenir leur engagement. Comme ils proviennent pour la plupart, de familles non chrétiennes, ils sont souvent littéralement jetés dans la rue. Ils perdent leur emploi, sont battus et chassés de leur village lorsqu'ils acceptent Christ.

Ils servent Christ chaque jour, endurant des souffrances indescriptibles parce que Jésus a promis à ses disciples : « Vous aurez des tribulations dans le monde; mais prenez courage, j'ai vaincu le monde » (Jean 16.33). Il a promis que nous traverserions des épreuves et des tribulations, mais nous pouvons les surmonter, car nous savons que Christ a déjà remporté la victoire. Dieu promet de subvenir à nos besoins physiques. Il est vrai qu'il pourvoit aux besoins matériels de ses enfants, mais il le fait pour une raison. Au lieu de faire des dépenses folles pour nous-mêmes, il veut que nous soyons de bons dispensateurs, et que nous utilisions ces ressources sagement dans le but de gagner les âmes perdues et de les conduire à la grâce salvatrice de Dieu.

L'Écriture nous dit : « Si quelqu'un possède les biens du monde, et que, voyant son frère dans le besoin, il lui ferme ses entrailles, comment l'amour de Dieu demeure-t-il en lui? » (1 Jean 3.17).

A. W. Tozer, auteur et pasteur de Christian and Missionary Alliance (l'alliance chrétienne et missionnaire) a dit un jour :

> Il n'y a pas de doute que l'attachement aux biens matériels est une des habitudes les plus néfastes de cette vie. Puisque cette habitude est tellement naturelle, on reconnaît rarement le mal qu'elle engendre, mais son impact est tragique. Nous

> ne réussirons pas sans peine à nous défaire de cette vieille malédiction. Le vieil avare robuste en nous ne mourra pas docilement parce que nous le lui avons commandé. Il doit être arraché de notre cœur comme une plante enracinée dans la terre. Il doit être extrait dans le sang et l'agonie, de la même manière qu'on extrait une dent de la mâchoire. Il doit être chassé avec violence de notre corps comme Jésus a chassé les vendeurs du temple.[2]

Un nombre élevé de croyants occidentaux représente les « jeunes hommes riches » de notre époque. Jésus leur dit : « Si tu veux être parfait, va, vends ce que tu possèdes, donne-le aux pauvres, et tu auras un trésor dans le ciel. Puis viens, et suis-moi » (Matthieu 19.21).

Onze

Pourquoi devrais-je créer des remous?

Vers la fin de 1981, il semblait bien que Gospel for Asia commençait à se faire accepter. Des gens de partout aux États-Unis et au Canada contribuaient maintenant au ministère qui équipait les missionnaires pour l'évangélisation dans leur propre pays.

Pendant que Gisela et nos employés de Dallas s'occupaient à jumeler nos nouveaux parrains à des missionnaires natifs, j'ai senti que le Seigneur me demandait de faire une tournée dans quatorze villes du Texas pour rencontrer personnellement quelques-uns de ces nouveaux donateurs. Je communiquais d'abord par téléphone avec les personnes pour me présenter et les remercier de s'être engagées à soutenir un missionnaire natif.

La réponse des gens m'a étonnée. La plupart d'entre eux m'avaient entendu à la radio et semblaient enchantés d'avoir l'occasion de me rencontrer. Dans chaque ville, quelqu'un offrait de m'héberger et on organisait des réunions dans les maisons ou les églises. Les gens me voyaient d'un nouvel œil; j'étais le président et le directeur d'une importante organisation missionnaire. Loin d'en être flatté, j'étais plus terrifié que jamais; j'avais peur de l'échec et du rejet.

J'avais un horaire bien chargé, la publicité avait été faite, et, tout à coup, une peur déraisonnable me submergeait. J'étais pris d'une grande fatigue, et plus le jour de mon départ approchait, plus je cherchais des excuses pour annuler le voyage.

J'ai essayé de m'en sortir en disant : « Ma famille et le bureau ont davantage besoin de moi. De plus, je voyagerai seul, ce qui est dangereux et difficile. Le mieux serait vraiment que j'attende que quelqu'un puisse m'accompagner. »

Un matin, alors que j'avais presque réussi à me convaincre de ne pas partir, le Seigneur m'a parlé de façon très claire durant mon culte personnel. Tout comme dans les autres occasions où il s'était adressé à moi, j'ai senti sa présence dans la pièce.

Reprenant les paroles qu'il avait prononcées dans Jean 10, il m'a dit : « Mes brebis entendent ma voix; je les connais, et elles me suivent : mes brebis me suivent parce qu'elles connaissent ma voix. »

Ce n'était pas nécessaire d'interpréter le message, il était bien clair. Le Seigneur m'avait ordonné de faire ce voyage. Il l'avait organisé et ouvert les portes. Je devais me voir comme une petite brebis et suivre mon Berger, là où il voulait que j'aille. Il passerait devant moi dans chaque église et dans toutes les maisons où je devais rester.

Ces deux semaines se sont avérées divines. Dans chacune des maisons et des églises où je suis allé, j'ai eu de merveilleux moments de communion fraternelle avec mes nouveaux amis, et de nouveaux donateurs se sont ajoutés à la liste.

L'église de Victoria au Texas était un de mes derniers arrêts, et le Seigneur m'avait réservé une surprise à cet endroit. Toutefois, il devait me préparer à la recevoir.

En voyageant de ville en ville, j'étais souvent seul dans la voiture, alors le Seigneur traitait avec moi de certains points importants qui auraient un impact sur l'avenir du ministère et de ma marche personnelle avec lui.

Un de ces points concernait une des plus importantes décisions que j'aurais à prendre. Depuis quelques années, je souffrais énormément à cause de ce qui me semblait être un sérieux déséquilibre entre les efforts missionnaires que les chrétiens consacraient à la proclamation de l'Évangile et le maintien des établissements tels que les hôpitaux et les écoles. Au cours de mes voyages en Inde et dans les pays occidentaux, j'ai découvert une grande préoccupation pour les activités soi-disant « missionnaires » dirigées par les ouvriers chrétiens et financées par les églises, mais qui n'ont pour ainsi dire rien de bien différents des autres programmes sociaux.

Les missions nord-américaines dépensent un trop grand pourcentage de leurs ressources sur des choses qui n'ont rien à voir avec leur but premier, soit d'implanter des églises. C. Peter Wagner, dans son livre *On the Crest of the Wave* (« Au sommet de la vague ») a écrit : « J'ai devant moi une liste récente des offres d'emplois d'une agence missionnaire que je ne nommerai pas. Des 50 catégories d'emplois listées, seulement deux ont trait à l'évangélisation, et toutes les deux concernent la jeunesse. Dans les autres catégories, on recherche, entre autres, des agronomes, des professeurs de musique, du personnel infirmier, des mécaniciens automobiles, des secrétaires, des professeurs en électronique et des écologistes. »[1]

La conscience sociale est un fruit naturel de l'Évangile. Mais d'en faire la priorité revient à mettre la charrue devant les bœufs. Par expérience, nous avons vu qu'essayer de se concentrer uniquement sur les besoins sociaux des gens n'a servi à rien en Inde depuis plus de 200 ans.

Quoique je sache que l'essence même de l'Évangile consiste à prendre soin des pauvres, je sais qu'il faut d'abord leur annoncer la Bonne Nouvelle. Subvenir à leurs besoins est un moyen de leur partager l'amour de Christ de sorte qu'ils puissent être sauvés pour l'éternité.

Je n'ai pas choisi cette voie, car je croyais que les autres organismes chrétiens et humanitaires n'ont pas la bonne méthode pour témoigner de l'amour de Christ. Non, la plupart font un travail exceptionnel, mais, à mon avis, l'Église locale devrait être au centre de l'action, et je voulais rétablir l'équilibre.

Je n'ai pas parlé ouvertement de ma décision, car je savais que ce sujet en était un de controverse. J'avais peur que les gens pensent que je portais des jugements, ou qu'ils me prennent pour un réactionnaire extrémiste ou un fanatique. Je voulais seulement aider le mouvement missionnaire indigène et je savais qu'engager un débat sur les stratégies de la mission ne ferait qu'entraver la productivité.

Et puis, je suis arrivé à Victoria, au Texas.

Ma présentation s'est bien déroulée. J'ai présenté les diapositives de Gospel for Asia et j'ai lancé un appel passionné pour notre œuvre. J'ai expliqué la philosophie de notre ministère, citant des références bibliques pour faire comprendre que les Asiatiques sont condamnés à l'enfer s'il n'y a pas de missionnaires natifs pour leur présenter l'Évangile.

Soudainement, j'ai senti que le Saint-Esprit me poussait à parler des dangers liés à l'évangélisation sociohumaniste. Je me suis arrêté un court instant, puis j'ai repris mon discours sans le mentionner. Je n'avais tout simplement pas le courage d'en parler. Je pourrais me faire des ennemis partout. Les gens pourraient croire que j'étais un fou insensible et indifférent à tout le travail que certains chrétiens font pour les affamés, les démunis et ceux qui souffrent. Pourquoi devrais-je créer des remous? J'ai réussi à terminer ma présentation et, me sentant soulagé, j'ai invité les auditeurs à poser des questions.

Seulement, le Saint-Esprit n'avait pas l'intention de lâcher prise.

Un homme de grande taille – d'au moins un mètre quatre vingt dix, comme disent les Texans – venant du fond de la salle, remontait l'allée d'un pas décidé et semblait grandir au fur et à mesure qu'il s'approchait de moi. Je ne le connaissais pas et je ne savais pas ce qu'il voulait me dire, mais d'instinct je comprenais qu'il était envoyé par Dieu. Arrivé à mes côtés, il a entouré mes minuscules épaules de son énorme bras et a dit quelque chose qui, à ce jour, résonne encore dans mes oreilles : « Cet homme ici, notre frère, a peur de dire la vérité… il lutte avec ses sentiments. » Je sentais mon cou et mon visage rougir de honte. Comment ce cowboy costaud pouvait-il savoir cela? Toutefois, la situation est devenue gênante; j'étais sur le point de voir la preuve que l'Esprit du Dieu vivant se servait bel et bien de ce grand Texan pour me livrer une puissante confirmation de sa volonté et pour me réprimander.

L'homme a continué, en disant : « Le Seigneur vous a conduit sur un chemin que d'autres n'ont pas emprunté et il vous a montré des choses qu'aucune autre personne n'a vues. Les âmes de millions de personnes sont en jeu. Vous devez dire la vérité à propos des priorités mal placées dans les missions. Vous devez appeler le corps de Christ à se remettre à la tâche de prêcher le salut pour sauver les âmes de l'enfer. »

Je me sentais comme un bon à rien, et pourtant, c'était indéniablement une prophétie miraculeuse inspirée par Dieu, confirmant ma désobéissance et le message même que Dieu m'avait appelé à prêcher avec assurance. Or, je n'étais pas encore arrivé au bout de mon humiliation et de ma délivrance.

« Le Seigneur m'a dit d'appeler les anciens, a continué le grand homme, à venir prier pour que vous soyez délivré de cette crainte des hommes. »

Tout à coup, j'avais l'impression d'être un moins que rien. On m'avait présenté comme un grand dirigeant de missions, et je me sentais maintenant comme un petit agneau. Je voulais me défendre. À mon avis, je n'étais pas du tout dominé par la peur, mais j'agissais plutôt de manière à protéger les intérêts de notre mission. Néanmoins, je me suis soumis, me sentant quelque peu ridicule lorsque les anciens m'ont entouré et ont commencé à prier pour que je sois oint d'une puissance divine dans mon ministère.

Quelque chose s'est alors produit. J'ai ressenti la puissance de Dieu m'envelopper. Quelques minutes plus tard, je me suis relevé en homme nouveau. J'étais délivré de l'esclavage de la peur. Je n'avais plus aucun doute que Dieu avait placé dans mon cœur le fardeau de prêcher ce message.

Depuis ce jour, j'insiste sur le fait que nous devons reprendre l'authentique Évangile de Christ, ce message équilibré du Nouveau Testament qui ne commence pas avec les besoins physiques des gens, mais avec le plan et la sagesse de Dieu, selon lequel il faut naître de nouveau pour obtenir la justice, la sanctification et la rédemption. Toute « mission » qui s'occupe uniquement des besoins fondamentaux du monde est une trahison envers Christ, et la Bible appelle cela un « autre évangile ». Il ne peut ni sauver ni racheter les individus ou la société. L'Évangile que nous prêchons ne concerne pas que les temps présents, il concerne aussi l'éternité.

Le problème avec les demi-vérités, c'est qu'elles contiennent des mensonges à part entière. C'est le cas en ce qui concerne cette déclaration qui a été faite à Jérusalem, en 1928, à la conférence donnée par la Commission de mission et d'évangélisation du Conseil œcuménique des Églises : « Nos pères étaient frappés d'horreur devant les milliers de gens qui mouraient sans Christ; nous sommes de même frappés d'horreur à la vue de toutes ces personnes qui vivent sans Christ. »

De cette rhétorique, habituellement livrée avec passion par un nombre croissant d'humanistes sincères dans nos églises, sont institués une myriade de programmes sociaux inspirés du monde. De tels efforts privent les pauvres du salut et de la rédemption, ce qui les condamne donc à passer l'éternité en enfer.

Bien entendu, cette déclaration renferme une vérité fondamentale. La vie sans Christ est une existence horriblement vide; vide d'espoir et de sens. Mais le mensonge subtil qui se cache derrière cet humanisme, c'est qu'il accorde l'importance au bien-être dans cette vie physique.

Peu de gens réalisent, cependant, que cet enseignement est issu de l'influence des humanistes du XIXe siècle. Ce sont ces mêmes hommes qui nous ont donné l'athéisme, le communisme et les autres philosophies modernes qui nient la souveraineté de Dieu dans les affaires des hommes. Ils sont ce que la Bible appelle des « antéchrists ».

Inconsciemment, l'homme moderne tient en haute estime les idéaux humanistes du bonheur, de la liberté et du progrès économique, culturel et social de l'humanité. Cette philosophie séculière dit que Dieu, le ciel et l'enfer n'existent pas; qu'on n'a qu'une chance à la vie, alors, autant faire tout ce qu'il faut pour être le plus heureux possible. Elle dit également que, « puisque les hommes sont tous frères », nous devons travailler à ce qui contribue au bien-être de tous les êtres humains.

Cet enseignement, si attirant en surface, s'est introduit dans nos églises de bien des façons, créant un évangile humain centré sur l'homme, basé sur le changement de son environnement et de son statut social en subvenant à ses besoins physiques. Il en paie le prix de son âme éternelle.

Le soi-disant évangile humaniste, qui n'a vraiment rien à voir avec la Bonne Nouvelle, est connu sous divers noms. Quelques-uns le défendent en utilisant des termes bibliques et théologiques bien connus; certains le nomment « l'évangile social » ou « l'évangile holistique ». Seulement, l'étiquette qu'on y appose n'a pas d'importance.

On reconnaît l'évangile humaniste en ce qu'il refuse d'admettre que le problème de l'humanité est spirituel et non physique. L'humaniste ne vous dira pas que le péché est la cause de toute la souffrance humaine. Depuis peu, ce mouvement humaniste soutient que nous devrions diriger les missions de façon à subvenir à tous les besoins de l'homme, mais il en résulte qu'on ne fait que prendre soin du corps et de l'âme, et qu'on ignore l'esprit.

En conséquence, de nombreuses églises et sociétés missionnaires détournent maintenant leurs fonds limités et leur personnel des programmes d'évangélisation en faveur de « l'intérêt social ». Aujourd'hui, la majorité des missionnaires chrétiens ont pour tâche principale de nourrir les affamés, de prendre soin des malades, de loger les sans-abris et de participer à une quantité d'autres œuvres de bienfaisance et de développement. Dans des cas extrêmes, la direction logique de ce mode de pensée peut conditionner des non-évangéliques à former des troupes de guérilleros, à poser des bombes terroristes ou à organiser d'autres activités moins extrémistes comme des cours de danse aérobique. Tous ces programmes sont faits au nom de Jésus, et soi-disant fondés sur son commandement d'aller dans le monde entier pour prêcher l'Évangile à toute créature. Selon ces humanistes, la mission de l'Église peut être à peu près n'importe quoi, mise à part gagner des personnes à Christ et en faire des disciples.

L'histoire nous a déjà enseigné que cet évangile, qui ne tient pas compte du sang que Christ a versé à la croix et de la conversion, est un échec total. En Chine et en Inde, au milieu du XIXe siècle, sur une période de sept générations, les missionnaires britanniques ont enseigné cela d'une manière légèrement différente. Les gens de mon peuple ont vu les hôpitaux et les écoles des Anglais aller et venir sans vraiment influencer nos Églises ou notre société.

Watchman Nee, un des premiers missionnaires chinois, a cerné le problème et l'a exposé dans une série de conférences qu'il a données au cours des années précédant la Seconde Guerre mondiale. Voici quelques commentaires tirés de son livre Love Not the World (« N'aimez pas le monde ») à propos de tels efforts humanistes :

> Un objet matériel qui est sous domination spirituelle remplit adéquatement son rôle de subordonné. S'il est libéré de cette soumission, il manifeste rapidement le pouvoir qui se cache derrière lui. La loi de sa nature s'affirme, et son caractère mondain est évident dans le parcours qu'il emprunte.
>
> La propagation de l'entreprise missionnaire de l'époque actuelle nous donne l'occasion de mettre ce principe à l'épreuve dans les institutions religieuses de notre temps et de notre pays. Il y a plus d'un siècle, l'Église a entrepris d'établir en Chine des hôpitaux et des écoles dans un but purement spirituel et évangélique. Dans ce temps-là, on accordait peu d'importance aux bâtiments, se concentrant davantage sur l'institution et son rôle dans la proclamation de l'Évangile. Il y a dix ou quinze ans, on aurait pu visiter ces mêmes lieux et trouver dans certains endroits des bâtiments plus grands et en bien meilleur état, mais nettement moins de conversions que dans les premières années. Et aujourd'hui, un grand nombre de ces magnifiques écoles et collèges sont devenus de simples centres d'enseignement sans but évangélique. Dans la même mesure ou presque, la plupart des hôpitaux de nos jours sont axés uniquement sur la guérison physique et non sur la guérison spirituelle. Les fondateurs de ces institutions les avaient, par leur marche étroite avec Dieu, dirigés selon sa volonté. Mais, après la mort de ces hommes, ces institutions ont rapidement accepté les règles et les objectifs du monde, et, ce faisant, se sont classifiées en tant que « choses du monde ». Cela ne devrait pas nous surprendre.

Nee développe ce thème en abordant cette fois le problème des mesures d'urgence, prises pour soulager les personnes souffrantes :

> Les premiers chapitres des Actes nous disent que l'Église du premier siècle a dû mettre sur pied, à la suite d'un imprévu,

un plan d'urgence pour subvenir aux besoins des saints moins fortunés. Il est évident que Dieu a béni l'institution urgente de ce service social, mais cette mesure était de nature temporaire. Peut-être que vous vous dites : « Il aurait été bien de maintenir ce service. » Seule une personne qui ne connaît pas Dieu pourrait dire cela. Si ces mesures avaient été prolongées indéfiniment, le programme aurait inévitablement pris la direction du monde, dès que l'influence spirituelle sous laquelle il avait été instauré se serait dissipée.

Il existe une distinction entre l'Église de Dieu, et les programmes sociaux et charitables que ses membres mettent sur pied de temps à autre suivant leur foi et leur vision. Ces projets, bien que provenant de visions spirituelles, possèdent un pouvoir d'autosuffisance que l'Église de Dieu n'a pas. Ce sont des œuvres que les enfants de Dieu peuvent initier et inaugurer par la foi. Mais à partir du moment où ils ont établi la marche à suivre et les critères professionnels, même les incroyants dans le monde peuvent les reprendre ou les imiter… sans la foi.

L'Église de Dieu, je le répète, ne subsistera jamais indépendamment de la vie de Dieu.

Le problème avec l'évangile social, même s'il est déguisé sous un costume religieux et qu'il œuvre au sein d'un organisme chrétien, est qu'il cherche à mener un combat spirituel avec des armes charnelles.

Nous ne luttons pas contre la chair et le sang, ni même contre les symptômes du péché tels que la pauvreté et la maladie. Nous sommes en guerre contre Lucifer et ses myriades de démons qui luttent jour et nuit pour emmener des âmes humaines dans une éternité sans Christ.

Nous voulons bien envoyer des centaines, voire des milliers de nouveaux missionnaires dans les lieux sombres, mais, s'ils ne savent pas quoi faire, le résultat sera fatal. Avant d'envoyer des soldats dans la bataille, nous devons leur fournir les armes appropriées et les informer sur les tactiques de l'ennemi.

Si nous voulons résoudre le plus grand problème de

l'humanité, c'est-à-dire sa séparation d'avec Dieu, en distribuant du riz, c'est comme si nous essayions de sauver un homme de la noyade en lui lançant une planche au lieu de l'aider à sortir de l'eau.

Une guerre spirituelle combattue avec des armes spirituelles remportera une victoire éternelle. C'est pour cette raison que nous insistons sur le fait qu'il faut rétablir l'équilibre dans la proclamation de l'Évangile. Il faut toujours accorder la priorité à l'évangélisation et à la formation de disciples.

Douze

Les bonnes œuvres et l'Évangile

Satan a tissé une toile d'artifices et de mensonges pour déstabiliser les missions chrétiennes. Il a inventé tout un système de demi-vérités attrayantes afin de confondre l'Église et s'assurer que des millions de personnes se retrouvent en enfer sans avoir reçu l'Évangile. Voici quelques-unes de ses inventions les plus communes :

Mensonge numéro un : Comment peut-on prêcher l'Évangile à un homme qui a le ventre vide? Son estomac n'a rien à voir avec sa rébellion contre le Dieu saint. Selon la Bible, le riche Américain vivant sur la 5e Avenue à New York et le pauvre mendiant qui vit dans les rues de Mumbai (Bombay) sont tous deux rebelles au Dieu tout-puissant. Ce mensonge a fait en sorte qu'au cours des cent dernières années, on a investi la majeure partie des fonds missionnaires dans des programmes sociaux. Je ne dis pas que nous ne devons pas prendre soin des gens pauvres et des démunis. Le point que je veux souligner est que nous avons perdu de vue notre mission première, qui est de prêcher l'Évangile.

Mensonge numéro deux : Les programmes sociaux qui ne font que pourvoir aux besoins matériels des gens sont des œuvres missionnaires tout aussi efficaces que la proclamation de l'Évangile. Luc nous raconte l'histoire pitoyable de l'homme riche et du pauvre Lazare (Luc 16.19-25). En quoi les biens de l'homme riche lui ont-ils été utiles? Son argent n'a pas pu le sortir de l'enfer. Ses richesses ne lui ont été d'aucun réconfort. L'homme riche a tout perdu, y compris son âme. Et qu'est-il advenu de Lazare? Il n'avait aucun bien qu'il pouvait perdre, mais il avait préparé son âme. Quelle était la chose la plus importante pour ces hommes durant leur vie sur terre? Était-ce de prendre soin du « temple corporel » ou de l'âme immortelle? « Et que servirait-il à un homme de gagner tout le monde, s'il se détruisait ou se perdait lui-même? » (Luc 9.25).

C'est un crime contre l'humanité perdue que d'aller faire, au nom de Christ et des missions, des œuvres humanitaires en négligeant d'appeler les gens à se repentir, à cesser d'adorer leurs idoles et de se rebeller, et à suivre Christ de tout leur cœur.

Mensonge numéro trois : Ils n'écouteront pas l'Évangile si nous ne leur offrons pas autre chose d'abord. Je me suis assis dans les rues de Mumbai avec des mendiants, des hommes qui n'en avaient plus pour très longtemps à vivre. En partageant l'Évangile avec ces hommes, je leur ai dit que je n'avais aucun bien à leur donner, mais que j'étais venu leur offrir la vie éternelle. Je leur ai dit que Jésus les aimait, qu'il était mort sur la croix pour leur âme, et qu'il y avait « plusieurs demeures dans la maison de mon Père » (Jean 14.2) et qu'ils pouvaient aller dans ce lieu où ils n'auraient plus jamais faim ou soif. Je leur ai dit que le Seigneur Jésus essuierait toutes larmes de leurs yeux, qu'ils ne seraient plus jamais endettés, et qu'il n'y aurait plus ni deuil, ni cri, ni douleur (Apocalypse 7.16; 21.4).

Quelle joie d'en voir quelques-uns ouvrir leur cœur après avoir entendu parler du pardon des péchés qu'ils pouvaient recevoir en Jésus! C'est ce que la Bible enseigne : « Ainsi la foi vient de ce qu'on entend, et ce qu'on entend vient de la parole de Christ » (Romains 10.17).

Échanger un bol de riz contre le Saint-Esprit et la Parole de Dieu ne sauvera jamais une âme et changera rarement l'attitude de cœur d'un homme. Nous ne réussirons même pas à ébranler ne serait-ce qu'un petit peu le royaume des ténèbres avant que nous élevions Christ avec toute l'autorité, la puissance et la révélation qui sont mises à notre disposition dans la Bible.

Il y a peu de pays où l'échec de l'humanisme chrétien est plus évident qu'en Thaïlande. Dans ce pays, même après 150 ans de compassion sociale extraordinaire, les chrétiens ne totalisent qu'un maigre deux pour cent de la population.[1]

Les missionnaires dévoués ont contribué davantage à la modernisation de ce pays que tout autre organisme. La Thaïlande leur est redevable pour son taux élevé d'alphabétisation, sa première imprimerie, sa première université, son premier hôpital et son premier médecin, en plus de presque tous les autres bénéfices reliés à l'éducation et à la science. Dans tous les domaines, y compris le commerce et la diplomatie, les missionnaires chrétiens ont accordé la priorité aux besoins de leur pays d'accueil et l'ont aidé à entrer dans le vingtième siècle. Pendant ce temps, des millions de gens sont entrés dans l'éternité sans le Seigneur. Ils étaient plus instruits, mieux gouvernés et en meilleure santé, mais ils sont morts sans Christ et sont en route pour l'enfer.

Où est l'erreur? Ces missionnaires n'étaient-ils pas suffisamment dévoués? Leur doctrine était-elle en contradiction avec l'Écriture? Peut-être qu'ils ne croyaient pas à l'enfer éternel ou au ciel éternel. Était-ce qu'ils manquaient de formation biblique ou qu'ils ne sortaient pas pour prêcher aux perdus? Avaient-ils décidé de s'occuper de soulager la souffrance humaine au lieu de sauver des âmes? Aujourd'hui, je sais qu'il y avait probablement un mélange de chacun de ces éléments.

Pendant que je cherchais des réponses à mes questions, j'ai rencontré, en Asie, des frères qui apportaient l'Évangile dans des régions où aucun de ces autres missionnaires n'était encore allé. Ces hommes pauvres et souvent peu instruits n'avaient pas de biens matériels à offrir aux gens à qui ils évangélisaient : aucune formation agricole, pas de soins médicaux ou de programmes tscolaires. Malgré cela, des centaines d'âmes ont été sauvées et, en quelques années, ils ont fondé de nombreuses églises. Que faisaient ces frères pour obtenir de tels résultats, là où d'autres qui avaient tant à offrir avaient échoué?

La réponse se trouve dans notre compréhension de la raison d'être d'une mission. Il n'y a rien de mal dans les œuvres charitables, mais il ne faut pas les confondre avec l'acte de prêcher l'Évangile. Une banque alimentaire peut sauver un homme qui meurt de faim. Les soins médicaux peuvent prolonger la vie et combattre la maladie. Les projets domiciliaires peuvent rendre cette vie temporaire plus confortable. Mais seule la Bonne Nouvelle de Jésus-Christ peut sauver une âme d'une vie de péché et d'une éternité en enfer!

L'évidence de l'emprise que Satan a sur ce monde se voit dans les yeux tristes d'un enfant affamé ou la vie gaspillée d'un toxicomane. Satan est le pire ennemi de l'humanité, et il fera tout en son pouvoir pour tuer et détruire les gens. Toutefois, essayer de remporter la victoire contre ce terrible ennemi avec des armes charnelles serait aussi inutile que lancer des pierres contre un char d'assaut.

Après que le commerce ait été établi avec les habitants des îles Fidji, un marchand athée et sceptique est venu pour y faire des affaires. Pendant qu'il s'entretenait avec le chef fidjien, il a remarqué que l'homme avait une bible et d'autres objets religieux dans sa maison.

Alors, il dit au chef : « Quel dommage que vous ayez écouté les sottises des missionnaires! »

Le chef lui a répondu : « Vous voyez cette grosse pierre blanche, là-bas? Il y a quelques années, nous fracassions la tête de nos victimes contre cette pierre pour avoir leur cerveau. Vous voyez ce grand four, là-bas? C'est le four dans lequel, il a quelques années, nous faisions cuire leur corps avant d'en faire un festin. Si nous n'avions pas écouté les soi-disant sottises que nous ont racontées les missionnaires, je vous assure qu'à l'heure qu'il est votre tête aurait été écrasée contre la pierre et votre corps serait en train de cuire dans ce four. »

On ne sait pas ce que le marchand a répliqué à cette remarque concernant l'importance de l'Évangile de Christ.

À partir du moment où Dieu change le cœur et l'esprit d'une personne, le physique change aussi. Si vous voulez satisfaire aux besoins des pauvres de ce monde, la meilleure chose à faire est de commencer par leur annoncer la Bonne Nouvelle. Elle a été plus utile pour réconforter les opprimés, les affamés et les gens dans le besoin que tous les programmes sociaux jamais imaginés par les humanistes séculiers.

Ces paroles, que Jésus a prononcées, devraient hanter notre esprit : « Vous courez la mer et la terre pour faire un prosélyte; et, quand il l'est devenu, vous en faites un fils de la géhenne deux fois plus que vous » (Matthieu 23.15). A. W. Tozer l'a bien dit dans son livre *Of God and Man* (« De Dieu et de l'homme ») : « Répandre une forme de christianisme stérile et dégénéré aux peuples païens ne signifie pas que nous avons accompli la mission que Christ nous a confiée, ni que nous sommes déchargés de notre responsabilité envers ces gens. »[2]

Peu de temps avant que les communistes s'emparent du pouvoir en Chine, un de leurs officiers avait fait cette déclaration au missionnaire John Meadows : « Vous, les missionnaires êtes en Chine depuis plus de cent ans et vous n'avez pas encore gagné les Chinois à votre cause. Vous regrettez le fait que des millions de personnes n'ont jamais entendu le nom de votre Dieu et ne savent rien de votre christianisme. Mais nous, les communistes, sommes en Chine depuis moins de dix ans et il n'existe pas un seul Chinois qui n'a pas entendu le nom de Staline, ou autre chose concernant le communisme... Nous avons répandu notre

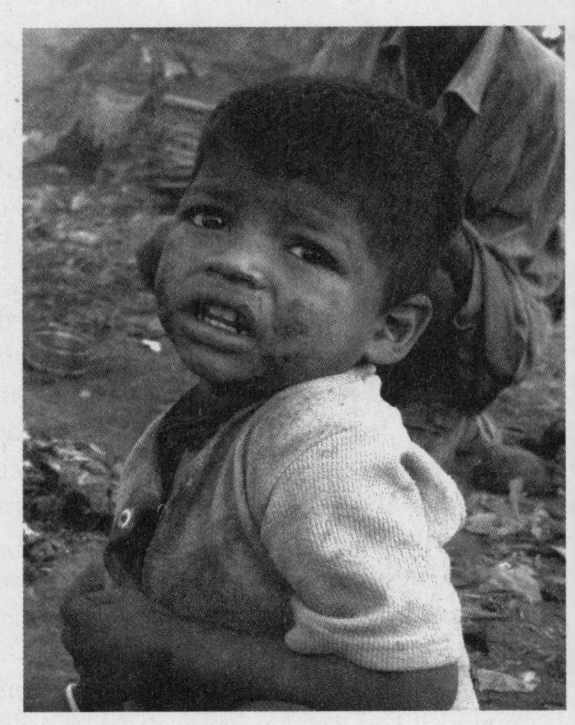

PHOTO DE DROITE : Pour trop d'enfants intouchables, l'innocence de leur jeunesse est perdue dans la pauvreté, la main-d'œuvre enfantine et l'exploitation. L'analphabétisme, dont le taux s'élève à 90 % dans certaines régions, laisse peu d'espoir à ces gens.

PHOTO DU BAS : Pleins d'entrain et désireux d'apprendre, les enfants dalits réussissent bien dans les centres du Bridge of Hope de Gospel for Asia comme celui-ci. Ils y reçoivent une bonne éducation et on leur apprend que Jésus les aime.

PHOTO DU HAUT : Narayan Sharma (à l'extrême droite) est le directeur de Gospel for Asia au Népal. Depuis des années, Gospel for Asia a formé des sœurs et des frères népalais qui travaillent maintenant à gagner les perdus dans les régions les plus difficiles de ce royaume montagneux. Les points blancs sur la carte représentent les églises qu'ils ont implantées.

PHOTO DU BAS : Notre but est d'établir des églises dans ces régions de l'Asie qui n'ont pas encore entendu l'Évangile. Cette église, qui est le fruit du travail d'un missionnaire, a été implantée durant sa première année sur le territoire. Dans certains endroits, selon la valeur du terrain, il en coûte en moyenne 11 000 $ pour bâtir une église pouvant accueillir jusqu'à 300 personnes.

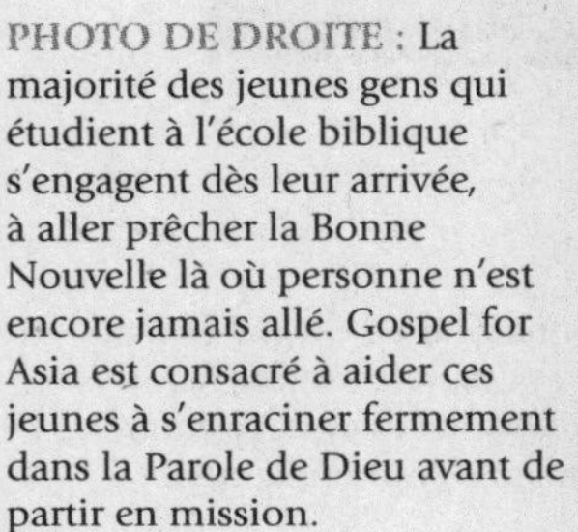

PHOTO DE DROITE : La majorité des jeunes gens qui étudient à l'école biblique s'engagent dès leur arrivée, à aller prêcher la Bonne Nouvelle là où personne n'est encore jamais allé. Gospel for Asia est consacré à aider ces jeunes à s'enraciner fermement dans la Parole de Dieu avant de partir en mission.

PHOTO DU BAS : Leur formation intensive de trois ans est terminée et ces jeunes gens seront maintenant envoyés dans des régions qui n'ont jamais entendu l'Évangile. On leur dit : « Si vous avez le privilège d'être martyrisé pour le Seigneur, rappelez-vous que le ciel est un bien meilleur endroit que la terre. Il a promis que jamais il ne vous délaisserait ni ne vous abandonnerait. »

LES ÉLÈVES DE L'ÉCOLE BIBLIQUE DE GOSPEL FOR ASIA apprennent tous à étudier la Bible selon la méthode inductive. Avant de recevoir leur diplôme, chaque étudiant doit prouver qu'il sait étudier et communiquer la Parole de Dieu selon cette méthode. C'est le moyen de s'assurer que les nouveaux croyants des églises fondées seront fermement enracinés dans les vérités bibliques.

LE BUT DE GOSPEL FOR ASIA est de former et d'équiper de jeunes gens pour qu'ils aillent implanter des églises dans les villages isolés du sous-continent indien. Quatre-vingts pour cent des élèves dans cette photographie sont actuellement en mission et gagnent des âmes pour Christ.

doctrine à travers toute la Chine. »

Puis, l'officier a continué en disant : « Je vais vous dire pourquoi vous avez échoué, là où nous avons réussi. Vous avez tenté d'attirer l'attention des masses en bâtissant des églises, des missions, des hôpitaux missionnaires, des écoles et tout le reste, tandis que nous, les communistes, avons imprimé notre message et l'avons distribué dans tout le pays. Un jour, nous vous chasserons de la Chine, et nous le ferons au moyen de documents écrits. »

Aujourd'hui, cela va de soi que John Meadows n'est plus en Chine. Les communistes ont tenu parole; ils ont pris le contrôle du pays et ont chassé les missionnaires. En effet, ce que les missionnaires n'ont pas réussi à faire en cent ans, les communistes y sont parvenus en dix. Un dirigeant chrétien a dit que si l'Église avait mis autant d'efforts à prêcher l'Évangile qu'elle en a consacré aux hôpitaux, aux orphelinats, aux écoles et aux maisons de repos (bien que ces choses soient utiles), le Rideau de bambou n'aurait jamais existé.

La tragédie qu'a vécue la Chine se répète aujourd'hui dans d'autres pays. Lorsque nous permettons qu'une mission s'occupe uniquement des besoins physiques de l'homme sans se soucier de l'équilibre spirituel, nous participons à un programme qui est destiné à l'échec.

Néanmoins, cela ne veut pas dire que nous ne devons pas prendre part aux œuvres de compassion qui viennent en aide aux gens nécessiteux et souffrants de notre entourage. Au chapitre suivant, je vais approfondir le sujet de notre responsabilité envers toutes ces personnes de notre génération qui sont dans le besoin.

Treize

L'espoir porte plusieurs noms

Que dit en fait la Bible à propos de la justice et la compassion? Quel est le rôle de l'Église dans ces domaines?

Si nous examinons l'exemple de vie terrestre de Christ, il est très clair que nous ne devons pas négliger les besoins des personnes souffrantes. Durant sa vie sur terre, Jésus a non seulement nourri l'âme des gens avec les vérités du ciel et le Pain de vie qu'il était, mais il a également rempli leur estomac de poisson, de pain et de vin.

Il n'a pas seulement ouvert le cœur des gens pour leur permettre de voir la vérité; il a aussi ouvert leurs yeux pour qu'ils puissent observer le monde dans lequel ils vivaient.

Il a fortifié la foi des faibles et renforcé les jambes des infirmes.

Celui qui est venu offrir la vie éternelle dans une vallée d'âmes mortes et desséchées, a aussi donné le souffle de vie au fils d'une veuve en le ressuscitant des morts (voir Luc 7.11-15).

Il n'a pas choisi une option aux dépens de l'autre, il a répondu aux deux besoins, et cela, pour la gloire de Dieu.

Nous voyons cet exemple d'entraide à travers toute la Bible. Dans l'Ancien Testament, on accordait une grande importance à la compassion et l'équité sociale envers les gens dans le besoin. Dieu a exigé qu'on prenne soin des opprimés et qu'on veille sur eux (voir Lévitique 19.18; Ésaïe 1.17; 58.10-11), et les villes de Sodome et Gomorrhe ont reçu un jugement terrible pour la façon dont ils ont exploité les pauvres et les démunis.

Jésus a clairement défini la responsabilité sociale du chrétien quand il a dit : « Tu aimeras le Seigneur, ton Dieu [...] c'est le premier et le plus grand commandement. Et voici le second, qui lui est semblable : Tu aimeras ton prochain comme toi-même. De ces deux commandements dépendent toute la loi et les prophètes » (Matthieu 22.37-40, italiques ajoutés pour mettre l'accent).

Des deux, c'est-à-dire l'amour pour Dieu et pour son prochain, dépendent toute la loi et les prophètes. Ce n'est pas l'un ou l'autre, mais bien les deux, qui rendront gloire à Dieu. Personne ne peut dire qu'il aime son prochain et ignorer ses besoins spirituels. De même, il ne peut dire qu'il l'aime s'il ne tient pas compte de ses besoins physiques. Jésus est venu pour répondre aux deux besoins.

En effet, Jésus a montré comment la souffrance physique de l'humanité a amené de nombreuses personnes à se tourner vers lui pour le salut de leur âme.

Il est écrit : « Jésus a fait encore, en présence de ses disciples, beaucoup d'autres miracles [...] afin que vous croyiez que Jésus est le Christ, le Fils de Dieu, et qu'en croyant vous ayez la vie en son nom » (Jean 20.30-31). Nous voyons dans l'Écriture que c'était les malades, les possédés de démons, les affamés et les pauvres qui allaient vers Jésus, et ce sont eux qui ont vu leur vie transformée par sa main guérissante. Jésus lui-même a dit qu'il était venu pour prêcher la Bonne Nouvelle aux pauvres, aux captifs, aux aveugles et aux opprimés (voir Luc 4.18, 19).

En délivrant des gens de maladies atroces et de l'esclavage satanique, Jésus a montré que seul lui pouvait sauver l'âme du péché et de la mort. Les actes de miséricorde que Jésus a pratiqués n'étaient pas une fin en soi, mais plutôt un moyen d'accomplir ce pour quoi il était venu. Et il en est de même aujourd'hui.

Toutefois, ainsi que je l'ai souligné au chapitre précédent, nous ne devons pas remplacer l'évangélisation par des œuvres sociales. La Grande Mission de l'Église n'est pas un mandat de libération politique.

Ceux qui connaissent le ministère de Gospel for Asia savent que nous sommes d'abord et avant tout engagés à fonder des églises et à faire des disciples. Nous avons toujours accordé la plus grande importance à l'évangélisation et à l'implantation d'églises, qu'il ne faudra jamais remplacer par des œuvres sociales exclusivement.

Notre organisation a toujours eu pour but de sauver des âmes et de former de disciples. Nous nous appuyons sur ces deux objectifs pour juger si une occasion de ministère en vaut le coup ou non. Par contre, cela ne veut surtout pas dire que nous ne nous soucions pas de la souffrance physique des personnes que nous cherchons à enseigner.

L'esprit de l'homme, qui est éternel et infiniment plus précieux que tout ce qui se rattache au monde matériel, est contenu dans un corps physique périssable. Et d'un bout à l'autre de la Bible, nous constatons que Dieu se servait des besoins ressentis dans le corps pour attirer les gens à lui. Évidemment, les hommes, les femmes et les enfants qui souffrent, en particulier ceux qui vivent dans la fenêtre 10/40, ont de grands besoins.

À Calcutta seulement, on estime à 100 000 le nombre d'enfants de la rue, qui n'ont pour la plupart ni mère ni père pour les aimer ou prendre soin d'eux. Mais plus que des données et des statistiques, ce nombre représente de vrais enfants. Même s'ils sont anonymes dans la rue, Dieu connaît chacun d'eux et il les a créés avec amour.

Il est peu probable qu'ils aient déjà été en contact avec une brosse à dents ou un pain de savon; ils n'ont jamais mangé un cornet de crème glacée ou tenu une poupée dans leurs bras. La main-d'œuvre enfantine de l'Asie du Sud travaille dans des manufactures de feux d'artifice, de tapis et d'allumettes, dans des carrières et des mines de charbon, dans les champs de riz, les plantations de thé et les pâturages. Comme ils sont exposés à la poussière, aux émanations toxiques et aux pesticides, leur santé est grandement compromise; leurs corps sont difformes à cause des lourdes charges qu'ils sont forcés de porter. Certains d'entre eux sont des travailleurs « esclaves » qui travaillent très dur pour rembourser une dette familiale.

Selon Human Rights Watch, entre 60 et 115 millions d'enfants de l'Asie du Sud vivent dans de telles conditions. Lakshmi, neuf ans, roule des cigarettes dans une manufacture de l'État indien du Tamil Nadu. Elle raconte l'histoire de sa sœur, nous donnant ainsi un petit aperçu de leur monde :

> Ma sœur a dix ans. Chaque matin à sept heures, elle va chez son propriétaire, et chaque soir, à vingt et une heures, elle revient à la maison. Ce propriétaire la maltraite, la frappe s'il pense qu'elle ne travaille pas assez vite ou si elle parle avec d'autres enfants. Il l'insulte à grands cris, il vient la chercher si elle est trop malade pour aller travailler. Je pense que tout cela est trop dur pour elle.
>
> L'école et le jeu ne m'intéressent pas. Rien de cela ne m'intéresse. Tout ce que je veux, c'est que ma sœur ne soit plus obligée d'aller chez cet homme. Cela nous coûterait 600 roupies pour la ramener à la maison, c'est notre seule chance de la ravoir avec nous.
>
> Nous n'avons pas 600 roupies… nous n'aurons jamais 600 roupies [l'équivalent de 10,85 $ CAN].[1]

Les membres du corps de Christ aujourd'hui, ne doivent pas oublier ces gens auxquels Jésus pensait quand il était sur la croix. Nous, qui sommes ses pieds et ses mains, ne devons pas négliger ceux pour qui il est mort. Maintenant que nous progressons dans l'évangélisation mondiale, ce n'est pas le temps de cesser de prendre soin et de pourvoir aux besoins de ceux qui sont précieux aux yeux de Dieu.

Je parle en particulier des dalits, connus sous le nom « d'intouchables », qui appartiennent à la caste inférieure de l'hindouisme. Depuis 3000 ans, des centaines de milliers d'intouchables indiens ont connu l'oppression, l'esclavage et d'innombrables atrocités. Ils sont pris dans un système de castes qui leur refuse le droit à une éducation adéquate, à de l'eau potable saine, à un travail payant, à une maison et à une terre. Victimes de ségrégation et d'oppression, les dalits sont aussi fréquemment victimes de crimes violents.

Mais plus le besoin est grand, plus la possibilité de faire connaître la puissance de Christ est grande.

La porte de ces possibilités est grande ouverte depuis quelques années. Parmi les dalits, ainsi que les autres castes inférieures qui vivent dans des conditions similaires, leur désir de liberté ne cesse de croître. Des dirigeants parlant au nom des quelque 700 millions de ces personnes ont exigé qu'on leur fasse justice et qu'on les délivre de l'esclavage et de la persécution.

Le 4 novembre 2001 a été un moment décisif pour des dizaines de milliers de dalits qui se sont assemblés pour ce qui est certainement une des plus importantes réunions du vingt et unième siècle. Ce jour-là, ils ont annoncé publiquement qu'ils désiraient « abandonner l'hindouisme » et choisir leur propre confession.

Depuis cet évènement, le Seigneur a conduit Gospel for Asia à exprimer son amour aux intouchables, à la caste inférieure et aux familles tribales d'une manière tangible et unique : *en gagnant le cœur de leurs enfants.*

Le Bridge of Hope, notre programme d'aide aux enfants, a été mis sur pied pour venir en aide aux centaines de milliers d'enfants en Asie. Notre but est de leur redonner de l'espoir en les arrachant à la pauvreté, en leur offrant une éducation et en leur transmettant l'amour de Dieu. Des communautés entières sont transformées par les efforts de ce ministère. Aujourd'hui, plus de 60 000 enfants sont inscrits dans des centaines de centres du Bridge of Hope, et le programme continue de se développer. Un de ces centres est situé dans le village du pasteur Samuel Jagat.

Samuel ne se doutait pas que les 35 enfants intouchables et de caste inférieure inscrits dans cette école auraient un impact aussi incroyable dans son ministère. Nibun, un petit garçon en première année, n'a pas tardé à le lui faire voir.

La mère de Nibun avait la malaria et elle était très malade depuis un bon moment. Les docteurs, les prêtres et les sorciers n'avaient pas réussi à la guérir, et sa mort paraissait inévitable.

Mais Nibun portait une petite graine de foi dans son cœur : la Parole de Dieu. Les histoires de la Bible font partie du programme éducatif du centre du Bridge of Hope, et, comme la plupart des enfants, Nibun avait l'habitude, en rentrant chez lui, de raconter à sa famille les histoires qu'il avait entendues.

Un soir, alors que Nibun et sa famille étaient assis autour du lit de sa mère, il leur a raconté de quelle manière Jésus avait ressuscité des morts le fils d'une veuve. À partir de ce moment, la vie ne serait plus la même pour cette famille.

Plus tard, le père de Nibun a partagé : « Ce soir-là, après avoir entendu cette histoire, je n'arrivais pas à m'endormir. L'histoire ne cessait d'embraser mon cœur. »

Le lendemain matin, le père de Nibun est allé rencontrer Samuel. Après avoir entendu parler de l'offre de salut de Jésus, l'homme a demandé au pasteur de venir prier pour sa femme. « Je crois que Jésus guérira ma femme comme il l'a fait pour le fils de la veuve », a-t-il affirmé.

La mère de Nibun, quoique très faible, partageait cette confiance : « Mon fils nous parle très souvent de Jésus. Je crois

Je souhaite aider à transformer la vie d'un enfant en lui fournissant de la nourriture, des vêtements, une éducation, des soins médicaux et et en lui offrant l'amour de Jésus.

> Vous recevrez la photo et le témoignage de chaque enfant du Bridge of Hope que vous parrainerez.

> Gospel for Asia envoie 100 % de vos dons de parrainage sur le champ missionnaire. Rien n'est prélevé pour couvrir des frais administratifs. Tous les dons sont déductibles d'impôt, tel que l'autorise la loi.

GOSPEL FOR ASIA

Cher K. P., Après avoir lu ***Révolution dans les missions mondiales***, je souhaite aider les enfants les plus démunis de l'Asie du Sud en leur offrant une bonne éducation et un avenir plein d'espoir, en plus de gagner leur communauté par l'amour de Christ. Je comprends que 35 $ par mois sont nécessaires pour soutenir un enfant de Bridge of Hope.

❑ **À partir de maintenant, dans la prière, je parrainerai :** ______ enfant (s) du BOH à 35 $ par mois, pour un total de ______ $ par mois.

❑ Je soutiens déjà un enfant du BOH. J'aimerais parrainer ______ enfant (s) de plus à 35 $ par mois, pour un montant total additionnel de ______ $ par mois.

❑ Voici mon don de _______ $ pour les enfants non parrainés du Bridge of Hope.

Veuillez encercler : M. Mme Mlle Pasteur

Nom ______________________________

Adresses ______________________________

Ville __________ Province __________ Code Postal __________

Téléphone ❑ cellulaire ❑ maison ( )

Courriel ______________________________

HB33-RB1F

Votre soutien mensuel de 35 $ fournit :

>> Le message de l'amour de Jésus
>> Un uniforme scolaire
>> Un repas quotidien
>> Une bonne éducation
>> Des soins médicaux

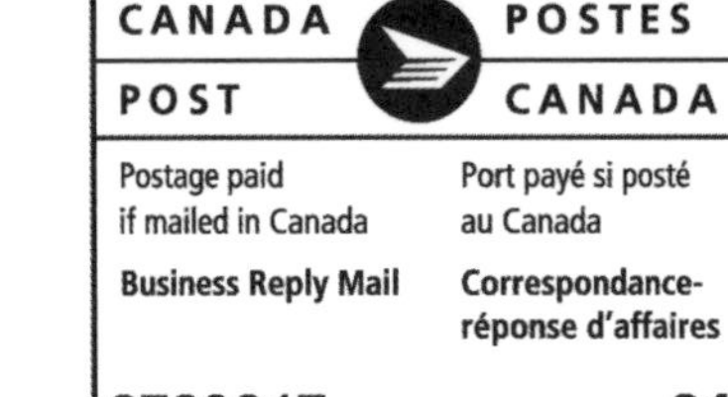

1000004007-L8G1L9-BR01

GOSPEL FOR ASIA
245 KING ST E
STONEY CREEK ON L8G 9Z9

qu'il peut me guérir. »

Pasteur Samuel a imposé les mains sur la femme mourante et a prié le Seigneur de la relever. Puis il est retourné chez lui.

Le lendemain, en apercevant le petit Nibun, il lui a demandé comment se portait sa mère.

Nibun lui a répondu : « Ma maman n'est plus alitée et ce matin elle a préparé le petit déjeuner! » Lorsque Samuel est arrivé à la maison de Nibun, il y a trouvé une famille transformée aussi bien physiquement que spirituellement. La famille entière avait pris la décision de suivre Christ.

Cette ouverture à l'Évangile parmi les dalits et les autres castes inférieures présente une occasion sans précédent de gagner ceux de notre monde qui faisaient partie des moins évangélisés (approximativement 700 millions d'âmes). Le Bridge of Hope nous offre le moyen d'aller accomplir la tâche auprès de ces millions de gens.

Le père de Nibun exprime cela ainsi : « Je remercie Dieu pour ce centre et je prie qu'il l'utilise pour apporter sa lumière dans un grand nombre de foyers, comme il l'a fait pour ma famille. »

Dès les débuts de notre ministère, nous avons toujours profité de chaque occasion pour partager l'amour et l'espoir en Jésus, et en particulier dans les communautés pauvres et démunies. Il en est toujours ainsi. Depuis le commencement, nous avons œuvré dans les colonies de lépreux et les bidonvilles, où nous avons implanté des dizaines d'églises parmi ces gens dans le besoin. C'est pourquoi lorsque nous avons entendu le cri désespéré des dalits, nous nous sommes précipités à leur secours.

Et nous avons trouvé que le meilleur moyen de les aider, c'est de fournir une éducation à leurs enfants, ce qui, dans plusieurs nations, signifie la liberté.

En réalité, une des raisons pour lesquelles autant d'enfants et leur famille sont traités comme des esclaves par leur créancier, c'est qu'ils ont tout simplement été incapables de lire le contrat qu'ils ont signé avec l'homme à qui ils doivent de l'argent. Comme ils ne savent ni lire ni écrire, ils font abuser d'eux et se font voler non seulement leur argent et leur temps, mais également leur avenir.

Or, le Bridge of Hope n'a pas pour seul but l'instruction des enfants. Au contraire, car c'est l'amour de Christ qui nous pousse à tendre la main ainsi, sachant que chaque enfant et sa famille sont précieux aux yeux de Dieu. Le Bridge of Hope est le moyen par lequel nous communiquons l'Évangile et il nous permet de voir des millions de personnes passer de la mort à la vie.

Permettez-moi de vous faire part d'une expérience que j'ai vécue au tout début de ce ministère auprès des intouchables, expérience qui a changé ma façon de voir et nous a poussés à poursuivre le programme du Bridge of Hope.

Une nuit, pendant mon sommeil, j'ai fait un rêve. Je me tenais devant un champ de blé, observant une terre manifestement prête pour la moisson. Je suis resté là, pendant un bon moment; j'étais dépassé par l'abondance de la récolte à venir. Le champ semblait s'étendre à l'infini sur des kilomètres et des kilomètres, à perte de vue.

Considérant le mouvement du blé doré sous l'effet du vent, j'ai soudainement compris que c'était la moisson à laquelle Jésus faisait référence dans Jean 4 et Matthieu 9. C'était comme si le Seigneur voulait me dire que la récolte était mienne, comme dans le Psaume, où il dit : « Demande-moi et je te donnerai les nations » (Psaume 2.8).

Saisi d'enthousiasme à la vue d'une moisson aussi abondante, et sachant qu'elle représentait des millions et des millions d'âmes sauvées d'une éternité en enfer, je me suis mis à bondir d'excitation. Je me suis mis à courir aussi vite que je le pouvais en direction de ce champ, mais en y arrivant, je me suis immobilisé. J'étais incapable d'aller plus loin. Il y avait une vaste rivière entre le champ et moi, une rivière si profonde et déchaînée que je n'osais pas avancer plus loin ni tenter de la traverser. Je ne l'avais pas aperçue de l'endroit où je me tenais, mais maintenant, je la voyais bien.

J'en avais le cœur brisé. Je ne pouvais que poser le regard sur la moisson, sans y toucher. Alors, je suis resté là à sangloter, le cœur rempli d'un sentiment d'impuissance et de grand désespoir.

Tout à coup, un pont qui traversait d'une rive à l'autre au-dessus de cette grande rivière est apparu devant moi. Ce pont n'était pas petit, il était très large et si énorme.

Puis j'ai vu que le pont était entièrement couvert de petits enfants asiatiques, de pauvres dalits sans ressources, comme ceux que j'avais vus dans les rues de Bombay, de Calcutta, de Dakar, de Katmandu et d'autres villes de l'Asie.

Ensuite, j'ai entendu comme une personne qui me disait : « Si tu veux cette récolte, elle est tienne, mais pour l'obtenir il te faudra traverser ce pont. »

Je me suis réveillé et j'ai réalisé que le Seigneur me disait clairement que, si nous suivions ses directives, ces millions d'intouchables auraient l'occasion de le connaître. Et notre ministère auprès des enfants nous servira de pont pour leur présenter la Bonne Nouvelle.

J'ai partagé ce rêve avec mes collègues et nous avons compris que Dieu nous avait donné cet appel afin que nous puissions apporter de l'espoir aux enfants de l'Asie. Par l'entremise du Bridge of Hope, les enfants apprendraient à connaître le Seigneur Jésus-Christ et son amour. En conséquence, leur communauté et leur famille finiraient par connaître le Seigneur.

Le miracle se réalise. Dieu a fidèlement concrétisé les plans qu'il avait placés dans notre cœur.

Quand les missionnaires de Gospel for Asia sont allés pour la première fois prêcher la Bonne Nouvelle dans une certaine partie du nord de l'Inde, les gens ont opposé une farouche résistance. Mais lorsque nos frères ont commencé à mettre en place des écoles du Bridge of Hope pour leurs enfants, ils les ont accueillis d'une façon bien différente.

Avec le temps, 50 programmes du Bridge of Hope ont été mis sur pied dans la région. En moins d'un an, 37 églises avaient été implantées. Tout cela a commencé par les petits enfants à qui on a fait connaître Jésus et qui en ont ensuite parlé à leurs parents. Et depuis, les miracles se sont succédé.

Dieu voulant, à mesure que nous allons de l'avant avec la conviction de voir l'Évangile prêché et la Grande Mission réellement s'accomplir, nous verrons littéralement des millions de gens venir à la connaissance de Christ. Si nous répondons à leurs besoins physiques et faisons tout ce que nous pouvons au nom de Jésus, ils entendront la Bonne Nouvelle du pardon des péchés et de la rédemption en la mort et la résurrection du Seigneur Jésus-Christ. Alors, des communautés entières seront bénies.

Tout organisme qui s'occupe des besoins matériels et physiques de l'humanité doit avoir pour but principal d'accomplir la Grande Mission. Lorsque ce but demeure l'élément qui fait avancer l'œuvre, l'amour de Christ est manifesté d'une manière tangible et peut alors atteindre les hommes et les femmes au plus profond de leur cœur et les attirer au Sauveur de leur âme.

Au bout du compte, ce qui est important, c'est que « la Bonne Nouvelle [soit] annoncée aux pauvres » (Matthieu 11.5). Si nous n'arrivons pas à faire cela, nous aurons échoué.

Quatorze

La nécessité d'une révolution

Si nous pouvions passer une seule minute dans les flammes et le tourment de l'enfer, nous comprendrions à quel point le soi-disant « évangile » que l'on enseigne dans les missions de notre époque est dépourvu d'amour.

Le terme « théologie », qui n'est en fait qu'un mot sophistiqué pour exprimer ce que nous croyons, fait toute la différence dans les champs missionnaires. Dans le livre des Actes, on peut voir que les disciples étaient totalement convaincus que l'être humain est perdu sans Christ. Même la persécution n'a pas réussi à les empêcher d'appeler les gens de partout à se repentir et à se tourner vers Christ.

Dans Romains 10.9-15, Paul souligne l'urgence de prêcher la Bonne Nouvelle de Christ. À son époque, les problèmes socioéconomiques des villes comme Corinthe et Éphèse, entre autres, étaient aussi graves, sinon plus, que ceux que nous connaissons aujourd'hui. Malgré cela, les apôtres ne se sont pas mis à établir des organismes humanitaires, des hôpitaux ou des établissements scolaires. Paul a déclaré : « Pour moi, frères, lorsque je suis allé chez vous [...] je n'ai pas eu la pensée de savoir parmi vous autre chose que Jésus-Christ, et Jésus-Christ crucifié » (1 Corinthiens 2.1-2).

Paul avait reconnu que Jésus-Christ est la seule réponse à tous les problèmes de l'homme. Quoiqu'il se souciait des besoins des saints, il ne faut pas passer à côté de ce à quoi il accordait la priorité dans sa vie et son message.

J'ai prêché dans des églises qui avaient investi des millions de dollars dans la construction de leur bâtiment. Les pasteurs de ces églises sont reconnus pour être d'excellents enseignants de la Bible et pour l'amour qu'ils manifestent envers les gens. Pourtant, j'ai découvert qu'un bon nombre de ces assemblées n'ont aucun programme missionnaire.

Prêchant dans une de ces églises, j'ai fait la déclaration suivante : « Vous prétendez être des évangélistes et vous consacrez votre temps et votre vie à apprendre toujours plus de vérités bibliques, mais en toute honnêteté, je pense que vous ne croyez pas à la Bible. »

Mes auditeurs étaient choqués, mais j'ai poursuivi.

« Si vous croyiez à la Bible comme vous le prétendez, le seul fait de savoir qu'il y a réellement un endroit qui s'appelle l'enfer, où des millions de personnes iront passer l'éternité si elles meurent sans Christ, vous inciterait à abandonner tout ce que vous possédez afin de donner la priorité aux missions et au salut des âmes perdues. »

Le problème de cette congrégation et de nombreuses autres assemblées de notre siècle, c'est qu'elles ne croient pas que l'enfer existe.

L'Anglais, C. S. Lewis, grand défenseur de la foi, a écrit : « Il n'y a aucune autre doctrine que j'aimerais voir disparaître du christianisme plus que celle de [l'enfer]. Je donnerais tout pour pouvoir honnêtement dire : « Tous seront sauvés. »[3]

Mais Lewis, tout comme nous, a réalisé que cela n'était pas vrai et qu'il n'avait pas le pouvoir de le changer.

Jésus a lui-même souvent parlé de l'enfer et du jugement à venir. La Bible dit qu'il y a dans cet endroit un feu qui ne s'éteint jamais, des vers mangeurs de chair qui ne meurent pas, des ténèbres, des pleurs et des grincements de dents éternels. Ces versets et des centaines d'autres parlent d'un lieu concret où les hommes perdus qui meurent sans Christ passeront l'éternité.

Seulement quelques chrétiens semblent avoir intégré la réalité de l'enfer dans leur mode de vie. En réalité, il est difficile de saisir que nos amis qui ne connaissent pas Jésus sont vraiment destinés à périr dans un enfer éternel.

Par contre, ainsi que je l'ai mentionné au chapitre 12, beaucoup de chrétiens croient en leur cœur que, d'une manière ou d'une autre, il y a un moyen de rédemption mis à la disposition de ceux qui n'ont jamais entendu l'Évangile. La Bible ne dit rien qui peut nous laisser croire une telle chose. Elle spécifie clairement qu'il est « réservé aux hommes de mourir une seule fois, après quoi vient le jugement » (Hébreux 9.27). Le seul moyen d'éviter la mort, l'enfer, le péché et la tombe, c'est Jésus-Christ. Il a dit : « Je suis le chemin, la vérité, et la vie. Nul ne vient au Père que par moi » (Jean 14.6).

Comme nos églises seraient différentes si nous commencions à vivre selon la vraie révélation de la Parole de Dieu à propos de l'enfer. Au lieu de cela, les églises locales et les missions, aussi bien en orient que dans le monde occidental, ont été infectées par la mort et continuent de distribuer la mort aux millions d'âmes perdues qui nous entourent.

L'Église que Jésus a sortie du monde et mise à part pour lui-même a, en grande partie, oublié sa raison d'être. Sa perte d'équilibre est visible en ce qu'elle manque de sainteté, de substance spirituelle et de sollicitude pour les âmes perdues. Elle remplace la vie qu'elle a déjà connue pour écouter des enseignements qui portent sur des sujets qui l'intéressent davantage, soit la prospérité, le plaisir, la politique et les activités sociales.

Avant de mourir, A. W. Tozer a prophétisé : « Le christianisme évangélique est actuellement bien loin de ce qu'exige le Nouveau

Testament. L'attachement aux biens matériels est une réalité qui est acceptée comme faisant partie de notre mode de vie. Nous avons un tempérament religieux social plutôt que spirituel. »

Plus nos dirigeants s'éloignent du Seigneur, plus ils se tournent vers le monde. Une église à Dallas a investi plusieurs millions de dollars dans la construction d'un gymnase pour « garder les jeunes dans l'église ». De nombreuses églises ressemblent à des clubs sociaux avec leurs équipes de balle molle, leurs leçons de golf, leurs écoles et leurs cours de conditionnement physique mis en place uniquement pour que les gens continuent d'y venir et de donner leur dîme. Certaines églises se sont tellement éloignées du Seigneur qu'elles sont allées jusqu'à offrir des cours de yoga et de méditation, qui sont tout simplement des pratiques hindouistes adaptées au monde occidental.

Si ces activités sont considérées comme étant des œuvres missionnaires locales, il ne faut pas se surprendre de voir ces mêmes églises se laisser séduire par la philosophie des humanistes chrétiens dans la planification de leur projet missionnaire à l'étranger.

Les véritables missions chrétiennes sont conscientes qu'il y a toujours l'enfer à éviter et le ciel à gagner. Nous devons restaurer la vision équilibrée que le Général William Booth avait lorsqu'il a fondé l'Armée du salut. Il avait une compassion incroyable pour gagner les âmes perdues à Christ. Ses propres mots racontent la vision qu'il avait pour ce mouvement : « Allez sauver des âmes, et allez chercher les pires. »

Si Jésus devait entrer dans nos églises aujourd'hui, que ferait-il?

J'ai bien peur qu'il ne nous dirait pas : « Vous avez gardé la foi, vous avez achevé la course sans vous détourner ni à gauche ni à droite, et vous avez obéi à mon commandement de secourir les âmes perdues de ce monde. » Je crois plutôt qu'il irait chercher un fouet parce que nous avons fait de la maison de son Père une caverne de voleurs. Si tel est le cas, il nous faut alors reconnaître que l'heure est grave, tellement grave qu'il faut cesser de nous illusionner. Nous avons dépassé l'étape du réveil et de la réforme. Si nous voulons que cet Évangile soit prêché dans le monde entier pendant cette génération, nous avons besoin d'une révolution divinement inspirée.

Toutefois, avant qu'il puisse y avoir une révolution, nous devons en reconnaître la nécessité. Nous sommes semblables à un homme qui étudie une carte routière pour retrouver son chemin après s'être égaré. Avant de pouvoir trouver la bonne route qui nous mènera à notre destination, il nous faut d'abord savoir où nous avons perdu notre chemin, retourner à cet endroit et repartir dans la bonne direction. Mon appel au corps de Christ est donc simple : reprenez la route de l'authentique Évangile. Nous devons nous remettre à enseigner toute la Parole de Dieu. Nous devons en faire notre priorité d'appeler les gens à se repentir et de les arracher au feu de l'enfer.

Le temps presse. Si nous refusons de prier pour une révolution dans les missions, et de la laisser commencer dans notre propre cœur, notre maison et notre église, nous perdrons cette génération et Satan en héritera.

Nous pouvons continuer de privilégier les besoins du corps aux dépens des âmes, ou nous pouvons faire une différence en soutenant financièrement des missionnaires asiatiques qui croient en la véracité de la Bible.

Il y a plusieurs années, 40 villages indiens, considérés auparavant comme chrétiens, ont recommencé à pratiquer l'hindouisme. Est-ce possible que des villages entiers qui avaient déjà connu l'Évangile libérateur de Jésus-Christ soient redevenus esclaves de Satan?

Eh bien, non. Ces villages étaient désignés comme « chrétiens » seulement parce qu'ils avaient été convertis par des missionnaires qui s'étaient servis d'hôpitaux, de biens matériels et d'autres incitations pour attirer les villageois au christianisme. Mais à partir du moment où on a diminué les cadeaux, ou que des organismes concurrents ont commencé à leur offrir des avantages similaires, ces « convertis » ont repris leurs anciennes habitudes. En termes missionnaires, ils étaient des « chrétiens de riz ».

Quand les missionnaires leur ont offert du « riz », ils ont accepté volontiers de changer de nom et de religion, car ils étaient attirés par le « riz ». Cependant, ils n'avaient jamais réellement compris l'Évangile de la Bible. Après tous ces efforts, ces gens étaient aussi perdus qu'auparavant. Mais à présent, leur condition était bien pire, car on leur avait dépeint un portrait complètement faux de ce que signifie suivre Christ.

Est-ce de cela que nous avons peur en Amérique du Nord? Avons-nous peur que sans gymnases et sans équipes de balle molle nous n'aurons pas de convertis?

La leçon que nous avons à tirer des missions, c'est que pourvoir aux besoins physiques des gens ne les amène pas à suivre Dieu. Qu'ils soient affamés ou rassasiés, riches ou pauvres, sans la puissance de l'Évangile les êtres humains demeurent rebelles à Dieu.

À moins que l'on ne retourne à l'équilibre de la Bible, à l'Évangile de Christ, nous ne réussirons jamais à mettre l'accent sur ce qui est important dans l'effort missionnaire de l'Église.

Jésus-Christ était compatissant envers les gens en tant qu'êtres à part entière. Il faisait tout en son pouvoir pour leur venir en aide, mais il n'a jamais perdu de vue le but principal de sa mission terrestre : réconcilier l'homme avec Dieu, mourir pour sauver l'âme du pécheur de l'enfer. Jésus prenait soin de l'être spirituel avant de pourvoir aux besoins du corps.

Cette vérité est illustrée de façon claire dans Matthieu 9.2-7, où Jésus a pardonné les péchés du paralytique avant de guérir son corps.

Dans Jean 6.1-13, Jésus a miraculeusement nourri 5000 hommes affamés, en plus des femmes et des enfants. Il leur a donné à manger après avoir prêché. Il ne l'a pas fait avant pour attirer leur attention.

Plus loin, au verset 26, nous voyons que ces gens n'ont pas suivi Jésus pour son enseignement ou à cause de qui il était, mais bien parce qu'il les avait nourris. Ils ont même voulu le faire roi sous de mauvais prétextes. Voyant qu'ils avaient une mauvaise compréhension des sujets spirituels, Jésus s'est retiré d'eux. Il ne voulait pas d'admirateurs; il voulait des disciples.

Pierre n'a pas eu peur de dire au mendiant : « Je n'ai ni argent, ni or; mais ce que j'ai, je te le donne » (Actes 3.6), après quoi, lui et Jean lui ont présenté l'Évangile.

J'ai vécu des expériences similaires en Inde. Il ne m'est encore jamais arrivé de rencontrer une personne qui refuse d'entendre la Bonne Nouvelle de Jésus à cause de sa condition physique.

En tant que chrétiens, nous devons suivre l'exemple de Jésus. Je crois que nous devons faire tout ce que nous pouvons pour apaiser la souffrance des gens qui nous entourent. Nous devons aimer notre prochain comme nous-mêmes dans tous les domaines de la vie. Mais notre priorité doit toujours être de transmettre le message de l'Évangile, et nous ne devons jamais négliger cela pour nous occuper uniquement des besoins physiques des gens. Voilà ce que sont l'équilibre biblique et le véritable Évangile de Jésus.

Quinze

Le vrai coupable : l'ignorance spirituelle

Alors que je prêchais à une conférence missionnaire dans une ville du sud des États-Unis, mes hôtes avaient eu la gentillesse de me réserver une chambre d'hôtel. C'était bon d'avoir quelques minutes pour me détendre, et j'étais impatient de prendre un peu de temps pour prier et méditer la Parole.

En m'installant, j'ai allumé l'énorme poste de télévision qui dominait la pièce. Ce qui est apparu à l'écran m'a choqué plus que tout ce que j'avais vu en Amérique jusqu'ici. Une jolie femme était assise dans la position du lotus et enseignait le yoga. J'ai observé avec horreur et stupéfaction pendant qu'elle faisait l'éloge des bienfaits physiques des techniques de respiration et des autres exercices de cette pratique religieuse orientale. Ce que les téléspectateurs ne savaient pas, c'est que le yoga n'a qu'un but, celui de préparer l'esprit et le corps à recevoir les mauvais esprits des faux dieux de l'Est.

Puisque ce yogi américain, vêtu d'une combinaison moulante, affirmait détenir un doctorat et que son émission était diffusée sur un canal éducatif, je présume que beaucoup de téléspectateurs croyaient qu'il s'agissait simplement d'une quelconque émission d'exercices physiques inoffensifs. Mais ceux qui, comme moi, ont grandi dans une nation dominée par les puissances des ténèbres savent que des centaines de religions orientales s'introduisent aux États-Unis et au Canada sous des noms inoffensifs aux allures scientifiques.

Très peu d'Occidentaux, en regardant les reportages sur la pauvreté et la violence qui existent en Asie, prennent le temps de s'arrêter pour se demander pourquoi l'Est semble être destiné à un cycle interminable de souffrance alors que les nations occidentales sont tellement bénies.

Les humanistes séculiers ont vite fait d'expliquer la disparité en débitant toutes sortes de raisons historiques et pseudoscientifiques, pour éviter d'admettre la vérité. La vraie raison est pourtant simple : l'héritage judéo-chrétien de l'Europe a attiré la faveur de Dieu, tandis que les fausses religions ont apporté la malédiction de Babylone sur les autres nations.

Les chrétiens matures savent que la Bible dit qu'il n'y a que deux religions dans le monde. Il y a l'adoration du seul vrai Dieu et il y a un faux système inventé dans la Perse antique. Plus tard, les armées perses et les prêtres ont répandu leur croyance en Inde, où elle a pris racine. Les missionnaires l'ont à leur tour propagée dans toutes les autres nations de l'Asie. L'animisme et les autres religions asiatiques ont un héritage commun qui découle de ce système religieux.

Étant donné qu'un grand nombre d'Occidentaux ignorent cette réalité, le mysticisme oriental arrive à s'introduire dans les pays occidentaux par l'intermédiaire de la culture populaire, des groupes rock, des chanteurs et même de certains professeurs d'université. Les médias sont devenus le nouveau véhicule dont les gourous américains se servent pour répandre l'ignorance spirituelle.

Il est plutôt difficile de blâmer le chrétien ordinaire de ne pas comprendre l'héritage judéo-chrétien qui a apporté autant de richesses dans leur pays. La plupart d'entre eux n'ont jamais vraiment pris le temps d'étudier et de comprendre la situation qui existe réellement en Orient. Peu de pasteurs et de prophètes sonnent l'alarme.

En Asie, la religion de Babylone fait partie intégrante de la vie de chaque jour. Sans Christ, les gens vivent pour servir des esprits religieux. Tout dans la vie d'un Asiatique est relié à la religion : son nom, sa naissance, son éducation, son mariage, ses affaires, ses contrats, ses voyages et sa mort.

Puisque la culture et les religions orientales sont si mystérieuses, beaucoup d'Occidentaux en sont fascinés, mais ils ne savent rien du pouvoir qu'elles ont pour tenir leurs adeptes dans l'esclavage. Ce qui accompagne habituellement ces mystérieuses religions de Babylone, ce sont la dépréciation, l'humiliation, la pauvreté, la souffrance, et parfois même la mort.

À mon avis, la plupart des croyants d'Amérique sont dépassés par les différents reportages des médias à propos de l'Asie. Les chiffres qu'on rapporte dépassent l'imagination, et l'injustice, la pauvreté, la souffrance et la violence semblent impossibles à enrayer. Tout ce qui est lié au monde oriental semble si mystérieux et démesuré qu'on ne peut le comparer à rien de ce que l'on connaît.

Dans mes voyages, j'ai remarqué qu'à cause de cela, les gens ont énormément de difficulté à vraiment saisir les besoins des Asiatiques. Parfois, j'aurais envie de prendre ces personnes avec moi pour une tournée de six mois en Asie. Seulement, comme cela n'est pas possible, je dois me servir de mes mots, de photographies, de présentation PowerPoint et de vidéos pour illustrer la situation.

À bien des égards, l'Asie est un endroit splendide, que Dieu a doté de rivières majestueuses, de forêts tropicales, des montagnes de l'Himalaya et d'un superbe mélange de peuples magnifiques. De nombreuses cultures se fondent dans les grandes villes telles que Mumbai (Bombay), Bangkok et Kuala Lumpur, et leurs sociétés commerciales comptent parmi les plus importantes au monde dans des domaines aussi variés que la physique, la technologie informatique, l'architecture et l'industrie cinématographique. Les gens viennent de toutes les parties du monde pour voir le Taj Mahal en Inde et l'Angkor Vat au Cambodge. Puisque tout près des deux tiers de la population mondiale vit en Asie (ce qui équivaut à plus que les populations de l'Europe, de l'Afrique, des Amériques du Nord et du Sud combinées), il est important que nous prenions le temps de comprendre les réels besoins de ces peuples précieux.

Selon le point de vue des missions chrétiennes, l'Asie représente plus que des chiffres considérables. L'Asie compte au-delà de deux milliards d'habitants cachés que les efforts missionnaires traditionnels et les médias d'évangélisation de masses ne rejoignent pas. Ces personnes sont les plus perdues des perdus, prisonniers des ténèbres spirituelles.

Quel est le défi auquel les missionnaires natifs en Asie font face aujourd'hui? Quels sont les besoins réels? De quelle manière les chrétiens peuvent-ils mieux aider l'Église asiatique et les missions?

Je ne veux pas minimiser les besoins sociaux et matériaux des nations asiatiques, mais il est important de souligner que leur principal besoin en est un d'ordre spirituel. Lorsque les médias occidentaux se concentrent davantage sur le problème de la faim, par exemple, en diffusant des images d'enfants affamés, les Américains peuvent difficilement comprendre quel est le problème le plus criant.

Mais qu'est-ce qui engendre la faim, au juste? Les chrétiens asiatiques savent que ces conditions horribles ne sont que des symptômes du véritable problème : l'esclavage spirituel. Le facteur principal pour comprendre le problème de la faim en Inde, et ce que l'on néglige le plus, c'est la façon dont leur système de croyances affecte la production de nourriture. La plupart des gens savent que les « vaches sacrées » errent librement et mangent des tonnes de grain tandis que le monde autour meurt de faim. Mais il y a un autre coupable, plus sinistre encore et moins connu, que les croyances religieuses protègent, le rat.

Selon ceux qui croient à la réincarnation, il faut protéger le rat en tant que refuge probable d'une âme réincarnée au cours de son cheminement vers le Nirvana. Bien que de nombreux Asiatiques rejettent cette idée et tentent d'empoisonner les rats, tous les efforts d'extermination à grande échelle ont été contrecarrés par des protestations religieuses.

Chaque année, les rats mangent ou détruisent vingt pour cent des réserves de céréales en Inde. Une étude effectuée dans le district de production céréalière de la ville d'Hapur, dans le nord de l'Inde, a révélé qu'il y en moyenne dix rats par maison.

Pour une seule récolte de céréales en Inde, comprenant du maïs, du blé, du riz, du millet, et autres, et totalisant 134 millions de tonnes métriques, la perte de vingt pour cent attribuable aux rats équivaut à 26,8 millions de ce total. Pour mieux visualiser la situation, imaginez un train de marchandises transportant cette quantité de céréales. Avec chaque wagon contenant environ 82 tonnes métriques, le train serait constitué de 327 000 wagons et s'étendrait sur 4986 kilomètres. Les pertes annuelles en céréales en Inde rempliraient un train plus long que la distance qui sépare New York de Los Angeles.

Les effets dévastateurs du rat en Inde devraient en faire un objet de mépris. Au lieu de cela, à cause de l'aveuglement spirituel des gens, le rat est protégé et, dans certains endroits, comme dans ce temple situé à 50 kilomètres au sud de Bïkaner, en Inde du Nord, il est même vénéré.

Selon un article dans l'*India Express*, des centaines de rats, que les fidèles appellent des « kabas », errent joyeusement çà et là sur l'immense site du temple, et parfois même, dans la grotte contenant l'image de la déesse Karni Devi. Les fidèles et les responsables de l'entretien du temple nourrissent les rats de prasad (offrande présentée aux divinités). La légende veut que la prospérité de la communauté soit liée directement aux rats.

Il faut marcher avec prudence dans le temple, car si un rat se fait écraser et meurt, non seulement cet acte est considéré comme un mauvais présage, mais il peut entraîner une sévère réprimande. Une personne est jugée chanceuse lorsqu'un rat monte sur son épaule. Et il est encore préférable d'apercevoir un rat blanc.

De toute évidence, la souffrance que nous voyons sur les visages des enfants et des mendiants affamés est en fait causée par des siècles d'esclavage religieux. Dans ma chère patrie, chaque année, des milliers de vies et des milliards de dollars sont investis dans les programmes sociaux, scolaires, médicaux et d'aide humanitaire. La plupart des situations de crise que l'on considère comme désastreuses aux États-Unis seraient vues comme des évènements normaux de la vie de tous les jours dans la majeure partie de l'Asie. Quand il y a un désastre en Orient, le bilan des victimes est souvent comparable à celui de la guerre du Vietnam. Les gouvernements asiatiques luttent avec des ressources limitées combinées à des problèmes sociaux de taille.

Et même avec cette grande quantité de programmes sociaux, les problèmes de faim, de surpopulation et de pauvreté ne cessent de croître. Le véritable coupable n'est pas une personne, un manque de ressources naturelles ou même le système gouvernemental. C'est l'ignorance spirituelle qui contrecarre tous les efforts faits en vue du progrès. Elle condamne notre peuple à la misère, tant dans ce monde que dans le monde à venir. La plus importante réforme qui puisse être apportée en Asie est l'Évangile de Jésus-Christ. Plus de 400 millions de personnes de ma nation en Inde n'ont jamais entendu le nom de Jésus-Christ. Elles ont besoin de la vérité et de l'espérance que seul Jésus peut leur procurer.

Récemment, par exemple, un missionnaire natif de l'Asie, qui sert le Seigneur à Jammu, a demandé à un commerçant du marché local s'il connaissait Jésus. Après avoir réfléchi pendant un instant, le marchand a répondu : « Monsieur, je connais tous les habitants de notre village. Personne de ce nom n'habite ici. Vous devriez aller voir dans le village voisin. C'est peut-être là qu'il demeure. »

Il n'est pas rare que les gens demandent aux missionnaires natifs si Jésus est le nom d'un nouveau savon ou médicament.

En Inde proprement dite, il y a au-delà d'un milliard de personnes, ce qui représente quatre fois la population des États-Unis. Un maigre 2,4 p. cent des ces gens seulement se disent chrétiens.[1] Quoique ce chiffre nous soit fourni par le recensement gouvernemental officiel, d'autres sources chrétiennes croient que le nombre s'élève plutôt à 7,4 p. cent.[2] Toutefois, avec près de 500 000 villages qui n'ont pas encore été évangélisés, l'Inde présente certainement le plus gros défi pour la communauté chrétienne mondiale aujourd'hui. Si la tendance se maintient, l'Inde sera bientôt la nation la plus populeuse de la terre. Des 29 États indiens, nombre d'entre eux ont une population qui dépasse celle de pays entiers en Europe et ailleurs dans le monde.

Non seulement ils ont des populations immenses, mais chaque État est généralement aussi distinct que s'il était un monde totalement différent. Ils ont pour la plupart des cultures, des tenues vestimentaires, une alimentation et un langage complètement différents. Mais très peu de nations asiatiques sont homogènes. Tout comme en Inde, on y trouve un mélange de langues, de peuples et de tribus. La diversité qu'on retrouve en Asie est en fait ce qui présente le plus grand défi des missionnaires.

Seize

Les ennemis de la croix

Le mouvement des missionnaires d'Asie, qui constitue le seul espoir pour ces nations qui n'ont jamais entendu la Bonne Nouvelle, n'est pas à l'abri des attaques de Satan et du monde. La renaissance des religions traditionnelles, la croissance du matérialisme séculier et du communisme, en plus des barrières de la culture et du nationalisme, sont toutes en opposition aux activités missionnaires chrétiennes.

Cependant, l'amour de Dieu peut ouvrir toutes ces barrières.

« J'ai grandi dans une maison où nous adorions plusieurs dieux », dit Masih, qui, durant de nombreuses années, a recherché la paix spirituelle en pratiquant la discipline personnelle, le yoga et la méditation ainsi qu'on l'exige dans sa caste. « Je suis même devenu le prêtre de notre village, mais je n'arrivais pas à trouver la paix et la joie.

« Un jour, j'ai reçu et lu un tract évangélique qui décrivait l'amour de Jésus-Christ. J'ai rempli et signé le dépliant qui offrait une formation à distance pour en apprendre plus sur ce Jésus. Le premier jour de janvier 1978, j'ai donné ma vie à Jésus-Christ. J'ai été baptisé trois mois plus tard et j'ai choisi le nom chrétien de Masih, qui signifie Christ. »

En Asie, le baptême et l'adoption d'un nom chrétien symbolisent une rupture complète d'avec le passé. Pour éviter la censure dont ils sont souvent victimes après leur baptême, certains nouveaux croyants attendent plusieurs années avant de se faire baptiser. Mais Masih n'a pas attendu et la réaction des siens a été immédiate.

Réalisant que leur fils avait rejeté leurs dieux, ses parents ont entamé une campagne de persécution. Masih s'est enfui à Kota, dans l'État du Rajasthan, où il s'est trouvé un emploi. Pendant six mois, il a travaillé dans une manufacture et il s'est joint à un groupe de croyants de la place. Avec l'encouragement des membres du groupe, il s'est inscrit dans une école biblique et a commencé à maîtriser les Écritures.

Au cours de ses trois ans d'études, Masih est retourné chez lui pour la première fois. « Mon père a envoyé un télégramme me demandant de rentrer, parce qu'il était "terriblement malade", raconte-t-il. Dès mon arrivée, ma famille et mes amis m'ont demandé de renoncer à Christ. Comme je refusais de le faire, ils ont commencé à me persécuter, et ma vie était en danger. J'ai donc été forcé de m'enfuir. »

À son retour à l'école, Masih pensait que le Seigneur l'enverrait prêcher dans une autre partie de l'Inde. Il a vraiment été secoué par la réponse à ses prières.

« Comme j'attendais la réponse du Seigneur, il m'a fait retourner auprès de mon propre peuple pour y œuvrer, dit-il. Il voulait que je leur partage l'amour de Dieu à travers Christ, tout comme le démoniaque de Gadara que Jésus a renvoyé chez les siens après l'avoir guéri. »

Aujourd'hui, Ramkumar Masih implante des Églises dans sa ville natale et les villages avoisinants. Il œuvre dans un milieu hostile où il est entouré de musulmans et d'hindous.

Bien que Masih n'ait pas eu à payer le prix ultime pour gagner des gens à Christ, chaque année, en Asie, de nombreux missionnaires et de simples croyants sont tués pour leur foi. On estime que 45 millions de personnes ont subi ce sort au vingtième siècle, ce qui dépasse certainement le nombre de celles qui ont été tuées pendant les 19 siècles précédents de l'histoire de l'Église.[1] Quels sont ces ennemis de la croix qui s'opposent à l'avancement de l'Évangile dans ces nations qui ont tellement besoin d'entendre son message d'espoir et de salut? Il n'y a rien de nouveau; ce ne sont que de vieilles méthodes que le diable réutilise dans une tentative ultime de tenir ces nations liées.

Les religions traditionnelles

Les religions traditionnelles renaissent à travers toute l'Asie. Bien que peu de pays aient suivi la route de l'Iran, où une renaissance de l'islam a renversé l'état, les factions religieuses représentent un problème majeur dans plusieurs pays.

Lorsque le gouvernement, les médias et les institutions scolaires sont gouvernés par des athées matérialistes, la plupart des nations en subissent les contrecoups. Les chefs des religions traditionnelles réalisent maintenant qu'il faut faire plus qu'expulser les nations occidentales du pays. La plupart des gouvernements asiatiques sont à présent gouvernés par des humanistes séculiers, et un grand nombre de dirigeants religieux traditionnels n'ont plus le pouvoir qu'ils ont déjà exercé.

À la base du mouvement, la religion traditionnelle et le nationalisme sont souvent volontairement confondus et exploités par des chefs politiques qui ne cherchent qu'à en tirer un profit à court terme. Dans les villages, les religions traditionnelles exercent toujours un grand pouvoir sur la pensée des gens. Presque chaque village et chaque communauté possèdent leur propre idole ou divinité (le panthéon hindou à lui seul compte 330 millions de dieux). De plus, une variété de cultes animistes, au cours desquels les gens adorent de puissants esprits, sont pratiqués ouvertement en même temps que la religion islamique, l'hindouisme et le bouddhisme.

Dans plusieurs régions, le temple du village est encore le centre de l'enseignement informel, du tourisme et de la fierté civique. La religion est une industrie très lucrative, et les temples rapportent annuellement d'énormes sommes d'argent. Des millions de prêtres et de praticiens occultes amateurs profitent également de la continuation et l'expansion des religions traditionnelles. Comme les forgerons à Éphèse, ils ne prennent pas la propagation du christianisme à la légère. La religion, le nationalisme et la rentabilité économique se confondent et produisent une sorte de dangereux explosif que l'ennemi utilise pour aveugler des millions de personnes.

Mais Dieu appelle tout de même des missionnaires natifs à prêcher l'Évangile, et ils sont nombreux à porter la Bonne Nouvelle dans des régions rigoureusement dominées par les religions traditionnelles.

L'esprit de l'antéchrist

Mais les ennemis de la croix, ce ne sont pas uniquement des fanatiques religieux. Une nouvelle force encore plus puissante se répand actuellement en Asie. La Bible l'appelle l'esprit de l'antéchrist; c'est le matérialisme séculier. Se manifestant souvent sous une forme de communisme, il a pris le pouvoir dans plusieurs pays, dont, entre autres, le Myanmar (la Birmanie), le Cambodge, la Chine, le Laos, la Corée du Nord et le Vietnam. Toutefois, même dans ces nations gouvernées par des démocraties comme l'Inde et le Japon, il a gagné une influence politique incroyable dans une variété de formes de gouvernements non communistes.

Les temples de ces nouvelles religions sont des réacteurs atomiques, des raffineries pétrolières, des hôpitaux et des centres commerciaux. Les prêtres sont plus souvent des techniciens, des hommes de science, des généraux militaires qui attendent impatiemment de reconstruire les nations asiatiques à l'image du monde industriel de l'Occident. Le pouvoir politique, dans la majeure partie de l'Asie, appartient maintenant à ces hommes et femmes qui promettent la santé, la paix et la prospérité sans un dieu surnaturel, car, selon eux, l'homme est son propre dieu.

Dans un sens, l'humanisme et le matérialisme séculiers ont bien diagnostiqué les religions traditionnelles comme étant la source principale de l'oppression et de la pauvreté qui existe à travers l'Asie. L'humanisme est un ennemi naturel de la religion théiste parce qu'il offre une méthode humaine et scientifique, sans Dieu, en réponse aux problèmes de l'humanité. Le résultat de cet accroissement du matérialisme scientifique : de puissants mouvements séculiers existent aujourd'hui dans chaque nation asiatique. Ils s'unissent et tentent d'éliminer de la société l'influence de toutes les religions, et même du christianisme. L'Asie moderne, dans les grandes villes et les capitales dirigées par l'humanisme séculier, est dominée par les mêmes buts et désirs qui dominent le monde occidental depuis un siècle.

La culture antichrétienne

Si les religions traditionnelles asiatiques représentent une attaque des mauvais esprits contre le christianisme, alors l'humanisme séculier est une attaque venant de la chair. Il ne reste donc plus qu'un ennemi à disputer, et il est probablement le plus puissant de tous : la pression du monde antichrétien, ou la culture.

Quand Mahatma Gandhi est retourné en Inde après avoir vécu plusieurs années en Angleterre et en Afrique du Sud, il a vite réalisé que le mouvement « Abandonnez l'Inde » avait échoué parce que les dirigeants nationaux refusaient de renoncer aux pratiques européennes. Alors, même s'il était Indien, il a dû renoncer aux coutumes et aux vêtements occidentaux, sans quoi il n'aurait jamais pu libérer son peuple de l'emprise des Britanniques. Il a passé le reste de sa vie à réapprendre à vivre selon la culture des Indiens, en se conformant à leur style vestimentaire, à leur alimentation, à leur culture et à leur mode de vie. Les gens du peuple ont fini par l'accepter, et le reste est de l'histoire. Il est devenu le père de ma nation, le George Washington de l'Inde moderne.

Le même principe s'applique aux efforts d'évangélisation et d'implantation d'Églises dans toute l'Asie. Il faut apprendre à s'adapter à la culture. C'est pour cela que l'évangéliste originaire du pays est si efficace. Lorsque les Américains des États-Unis sont approchés par des adorateurs de Krishna vêtus d'une tunique jaune, avec le crâne rasé et des billes de prières, ils rejettent immédiatement l'hindouisme. De la même manière, les hindous rejettent le christianisme quand il est présenté sous une forme occidentale.

Les Asiatiques ont-ils rejeté Christ? Pas vraiment. Pour la plupart, ils ont rejeté seulement les ornements de la culture occidentale qui se sont attachés à l'Évangile. C'est à cela que l'apôtre Paul faisait référence quand il a dit : « Je me suis fait tout à tous, afin d'en sauver de toute manière quelques-uns » (1 Corinthiens 9.22 b).

Lorsqu'un Asiatique prêche l'Évangile à un autre Asiatique d'une manière culturellement acceptable, le résultat en est étonnant. Jager, un des missionnaires que nous soutenons dans le nord-ouest de l'Inde, a annoncé la Bonne Nouvelle dans 60 villages et établit 30 Églises dans une région difficile du Punjab. Il a permis à des centaines de personnes de ressentir la joie qu'amène la connaissance de Christ. Au cours d'un de mes voyages en Inde, j'ai fait un détour dans le but de rendre visite à Jager et sa femme. Il fallait que je voie de mes yeux la méthode qu'il utilisait.

Imaginez mon étonnement en apprenant que Jager n'utilisait

aucun moyen technologique particulier; à moins que vous considériez le scooter et les dépliants évangéliques que nous lui avons fournis comme des outils « technologiques ». Il vivait de la même manière que le peuple, dans une maison d'une pièce construite de terre et de bouse. À l'extérieur de la maison, il y avait une cuisine, également faite de terre, qui est le matériau utilisé pour toutes les constructions dans cette région. Pour préparer le repas, la femme de Jager devait s'accroupir devant un feu ouvert, comme les autres femmes de son voisinage. Ce qu'il y avait de remarquable avec ce frère et sa femme, c'est qu'ils étaient des Indiens authentiques. Il n'y avait rien d'étranger en eux.

J'ai demandé à Jager comment il faisait pour persévérer dans ces conditions, au milieu de la souffrance. Il a répondu : « Je m'en remets au Seigneur, mon frère. » J'ai appris qu'il passait de deux à trois heures par jour dans la prière, la lecture et la méditation de la Bible. C'est ce qui est nécessaire pour gagner l'Asie à Christ. C'est de ce genre de missionnaire que notre nation a besoin.

Jager a connu Christ grâce à un autre évangéliste natif, qui lui a présenté le Dieu vivant. Il lui a parlé d'un Dieu qui hait le péché et qui est devenu un homme afin de mourir pour libérer les pécheurs. C'était la première fois que l'Évangile était prêché dans ce village, et Jager a suivi l'homme plusieurs jours.

Finalement, il a accepté Jésus comme son Seigneur et il a été déshérité par sa famille. Enchanté et surpris par sa nouvelle vie, il est parti distribuer des tracts et annoncer Jésus de village en village. Il a fini par vendre ses deux boutiques et s'est servi de l'argent qu'il en a retiré pour organiser des réunions évangéliques dans les villages avoisinants.

Voilà un homme qui présente Christ aux siens de façon culturellement acceptable. Pour accomplir la mission que Christ leur a confiée, les Asiatiques ont besoin du soutien de l'occident pour leur permettre de recruter, former et envoyer des missionnaires évangéliques natifs de la région.

Les missionnaires asiatiques sont aptes à affronter les trois grands défis auxquels nous faisons actuellement face en Orient.

Premièrement, très souvent, ils comprennent la culture, les coutumes et le style de vie ainsi que la langue de ceux qu'ils évangélisent. Ils n'ont donc pas besoin de gaspiller un temps précieux à se préparer pour la vie en Asie.

Deuxièmement, la communication est plus facile entre pairs. Même s'il y a encore des barrières sociales à surmonter, elles sont moins importantes et plus faciles à distinguer.

Troisièmement, c'est un sage investissement de nos ressources, puisque les missionnaires asiatiques travaillent de façon plus économique que les missionnaires étrangers.

Une des lois fondamentales de la création est que chaque être vivant se reproduit selon son espèce. Cette vérité s'applique dans l'évangélisation et la formation de disciples, comme dans n'importe quel autre domaine. Si nous voulons voir les gens venir à Christ en grande quantité, nous devrons encore envoyer sur le terrain des milliers de missionnaires asiatiques.

Combien de missionnaires faut-il envoyer? En Inde seulement, 500 000 villages n'ont pas encore entendu l'Évangile. En considérant les autres pays, nous réalisons que des milliers d'autres villages n'ont encore aucun témoin évangélique. Si nous voulons aller vers les autres hameaux, dont les portes nous sont ouvertes en ce moment, Gospel for Asia aura encore besoin de dizaines de milliers de missionnaires évangéliques asiatiques. Le coût pour soutenir ces gens se chiffrera dans les millions de dollars annuellement. Ce qui représente une fraction seulement des 94 milliards de dollars qu'a dépensés l'Église en Amérique du Nord pour d'autres besoins et désirs en 2000.[2] Et il en résulterait une révolution d'amour qui attirerait des millions d'Asiatiques à Christ.

Les missionnaires natifs de l'Asie sont-ils prêts à faire de l'évangélisation interculturelle? La réponse est oui, et avec une grande efficacité! La plupart des missionnaires soutenus par Gospel for Asia font déjà en quelque sorte de l'évangélisation interculturelle. Très souvent, nos évangélistes se voient obligés d'apprendre une nouvelle langue, de s'habituer à porter des vêtements différents et d'adopter un autre régime alimentaire. Toutefois, comme les cultures sont fréquemment voisines et partagent le même héritage, la transition se fait plus facilement qu'elle ne se ferait pour une personne venant de l'Occident.

Bien qu'il y ait dans mon pays d'origine 18 langues principales et 1650 dialectes[3], qui représentent tous une culture différente, il est encore relativement simple pour un Indien de faire la transition d'une culture à une autre. En réalité, presque n'importe qui au Pakistan, en Inde, au Bangladesh, au Myanmar, au Népal, au Bhoutan, en Thaïlande et au Sri Lanka peut rapidement apprendre à prêcher à un peuple voisin.

Les ouvriers asiatiques qui cherchent à apprendre de nouvelles langues et à implanter des Églises dans d'autres cultures font face à des défis extraordinaires. Pour ce faire, Gospel for Asia cherche à collaborer avec des agences ayant la même vision, qui pourraient aider le missionnaire natif à surmonter ces obstacles.

Le défi de l'Asie nous interpelle. Les ennemis de la croix abondent, mais aucun d'eux ne peut résister à la puissance de l'amour de Jésus. Les obstacles qui se dressent devant nous sont effectivement considérables, mais ils peuvent être surmontés par l'intermédiaire du ministère dévoué des missionnaires évangéliques asiatiques.

Dix-sept

L'eau de vie servie dans une coupe étrangère

Considérant le défi extraordinaire que représente l'Asie, ce n'est pas exagéré de demander une nouvelle vague de missionnaires pour gagner ces nations pour Christ. Et actuellement, le Seigneur appelle déjà des dizaines de milliers de missionnaires asiatiques dans toutes les nations du tiers monde. De ce nombre, plusieurs habitent déjà au milieu de la nation que le Seigneur les appelle à évangéliser, ou à une centaine de kilomètres des villages qui n'ont pas encore entendu la Bonne Nouvelle de Jésus-Christ.

La situation des missions mondiales n'est déprimante que si on la compare au colonialisme occidental du XIXe siècle. Si l'évangélisation du monde repose sur l'envoi de « missionnaires blancs », il devient, chaque jour, de plus en plus impossible de réaliser la Grande Mission. Mais Dieu soit loué, le mouvement des missionnaires natifs est en plein essor et prêt aujourd'hui à accomplir la tâche.

Le message fondamental que je veux communiquer aux chrétiens, aux pasteurs et à tous les dirigeants d'œuvres missionnaires, c'est qu'un jour nouveau vient de se lever dans les missions. Il y a seulement quelques années, personne n'aurait cru que l'Église d'Asie était prête à prendre son envol, mais des évangélistes natifs commencent à aller présenter Christ à leurs semblables.

Ce qui est encore plus excitant, c'est que Dieu nous appelle tous à participer à son œuvre en Asie.

Nous pouvons faire en sorte que des millions de pieds bruns et jaunes aillent présenter l'Évangile libérateur de Jésus. Par les prières et le soutien de croyants du monde entier, ils pourront prêcher la Parole à des multitudes d'âmes perdues. Pour cela, la famille de Dieu au grand complet est invitée à se mettre à la tâche. Des milliers de missionnaires asiatiques iront vers les perdus si les chrétiens de l'Ouest veulent bien les soutenir.

Je crois que c'est pour cette raison que le Seigneur m'a appelé à venir en Occident. Je reste dans ce pays dans le seul but de servir mes frères asiatiques en présentant leurs besoins au peuple de Dieu. Une génération nouvelle de chrétiens doit apprendre que l'œuvre missionnaire a subi un changement radical. Il faut que les croyants du monde occidental sachent qu'on a besoin d'eux en tant « qu'envoyeurs », pour prier et pour soutenir leurs frères d'Asie afin qu'ils puissent aller prêcher la Bonne Nouvelle.

Les eaux des missions ont été brouillées. Beaucoup de chrétiens, aujourd'hui, n'arrivent plus à réfléchir clairement à ce qui a réellement de l'importance parce que Satan a envoyé un esprit trompeur pour les aveugler. Je ne dis pas cela à la légère. Satan sait que pour mettre fin à l'évangélisation mondiale il doit semer la confusion dans la pensée des chrétiens occidentaux. C'est exactement ce qu'il a fait, et il a très bien réussi. Les faits parlent d'eux-mêmes.

En Amérique du Nord, le chrétien moyen ne donne que 50 cents par semaine à une œuvre missionnaire.[1] Songez un peu à ce que cela représente. La mission constitue la première responsabilité de l'Église. C'est le dernier commandement que notre Seigneur nous a donné avant de monter au ciel. En mourant sur la croix, Jésus a institué le mouvement missionnaire. Il est venu partager l'amour de Dieu, et nous sommes là pour poursuivre cette mission. Pourtant, la tâche la plus importante de l'Église ne reçoit même pas un pour cent de toutes nos finances.

Souvenez-vous que, parmi les missionnaires occidentaux qui sont envoyés outre-mer, beaucoup n'ont pas comme tâche principale la prédication de l'Évangile et l'implantation d'Églises.

De plus, 85 p. cent des fonds missionnaires servent aux missionnaires occidentaux qui œuvrent dans les Églises déjà établies sur le terrain, et non pour évangéliser les gens perdus.[2]

Par conséquent, la majeure partie de ce 50 cents que le chrétien nord-américain donne hebdomadairement aux missions sert à financer des projets ou des programmes qui n'ont rien à voir avec la proclamation de l'Évangile.

Toutefois, les missions se sont métamorphosées depuis une soixantaine d'années. À la fin de la Seconde Guerre mondiale, presque tout le travail missionnaire était effectué par une poignée d'hommes blancs venant d'outre-mer. Pour ces dirigeants de missions chrétiennes, il était impossible d'envisager d'évangéliser chacun des quelques milliers de groupes culturels distincts. Ils se sont donc concentrés sur les plus grands groupes culturels dans les centres économiques et les gouvernements faciles d'accès.

Dans la plupart des nations asiatiques, 200 années de travail missionnaire avaient été menées sous la surveillance étroite des gouverneurs coloniaux jusqu'à ce que cela prenne fin en 1945. Pendant ces deux siècles, les missionnaires occidentaux semblaient constituer une partie importante de la fibre du gouvernement colonial occidental. Même les quelques églises qui avaient été établies parmi les groupes culturels dominants semblaient faibles. Le gouvernement local et l'économie étaient également sous la domination d'étrangers. Très peu des missionnaires étaient des indigènes ou indépendants des missionnaires occidentaux. Pas étonnant que la majorité d'entre eux rejetait ces drôles d'établissements où l'on pratiquait une religion étrangère, de la même manière que les Américains aujourd'hui évitent les « missions de Krishna » et les « missions islamiques » dans leur pays.

Dans ce contexte, on a naturellement laissé tomber l'idée d'essayer d'achever la tâche en allant vers d'autres groupes culturels plus petits. Ces multitudes de gens habitant les campagnes, les sous-cultures ethniques, les petites tribus et les minorités devraient attendre. Il faudrait laisser passer encore plusieurs générations avant de pouvoir les enseigner, à moins, bien sûr, que d'autres missionnaires blancs puissent être recrutés et envoyés vers ces peuples.

Mais il n'en était rien. Lorsque les missionnaires de l'ère coloniale sont retournés reprendre le pouvoir dans « leurs » églises, hôpitaux et écoles, ils ont réalisé que le climat politique n'était plus du tout ce qu'il avait été dans le passé. Les missionnaires se sont heurtés à une nouvelle hostilité de la part des gouvernements asiatiques. Il s'était produit un changement radical durant la Seconde Guerre mondiale : les nationalistes s'étaient organisés et mis en marche.

La révolution politique a rapidement submergé le tiers monde. Une après l'autre, les nations déclaraient leur indépendance, et les missionnaires perdaient leur pouvoir et leurs privilèges. Au cours des 25 années qui ont suivi la Seconde Guerre mondiale, 71 nations se sont libérées de la domination occidentale. Avec cette nouvelle indépendance, ils ont décidé qu'un des premiers symboles occidentaux à bannir serait les missionnaires. Aujourd'hui, 86 nations, représentant plus de la moitié de la population mondiale, interdisent ou limitent sérieusement l'accès aux missionnaires étrangers.[3]

Mais il y a un côté positif à l'histoire. L'effet que cette réalité a produit sur les Églises émergentes en Asie a été extraordinaire. Bien loin de ralentir la propagation de l'Évangile, le retrait des missionnaires étrangers a libéré l'Évangile des traditions occidentales que ces missionnaires y avaient involontairement ajoutées.

Sadhu Sundar Singh, un pionnier des missionnaires-évangélistes asiatiques, racontait une histoire qui illustre bien l'importance de présenter l'Évangile en termes culturellement acceptables.

Un hindou d'une caste supérieure s'est évanoui un jour sous la chaleur estivale alors qu'il était assis dans un train en gare. Un employé à bord du train s'est empressé d'aller chercher de l'eau dans un gobelet, qu'il a ensuite offerte à l'homme dans une tentative de le ranimer. Malgré son état, l'homme a refusé de boire. Il préférait mourir plutôt qu'accepter un verre d'eau d'un homme de caste inférieure.

Puis quelqu'un d'autre a remarqué que le passager de caste supérieure avait laissé son propre gobelet sur le siège voisin du sien. Il a pris le gobelet, l'a rempli d'eau et est retourné l'offrir à la victime d'un coup de chaleur qui a aussitôt accepté l'eau avec gratitude.

Ensuite, Sundar Singh disait à ses auditeurs : « C'est ce que j'ai essayé de faire comprendre aux missionnaires qui arrivaient d'outre-mer. Vous avez offert l'eau de vie aux Indiens dans une coupe étrangère, et nous avons été réticents à l'accepter. Si vous voulez bien nous l'offrir dans notre coupe, de forme indigène, nous l'accepterons plus facilement. »

Aujourd'hui, une nouvelle génération de jeunes leaders asiatiques remplis du Saint-Esprit élabore des stratégies pour finir d'évangéliser notre terre natale. Je connais personnellement, dans tous les pays de l'Asie, des missionnaires natifs, qui réussissent à gagner leurs semblables à Christ en utilisant des méthodes et des styles culturellement acceptables.

Bien que la persécution existe toujours sous une forme ou une autre dans la plupart des nations asiatiques, les gouvernements nationaux postcoloniaux ont alloué une liberté quasi illimitée aux missionnaires de leurs pays. Ce n'est pas parce que les Occidentaux ont été expulsés que l'Église doit cesser de grandir.

Pour une raison diabolique que nous ne connaissons pas, la majorité des croyants dans nos églises n'ont pas entendu parler de cette métamorphose dans les missions. Alors que l'Esprit de Dieu appelle une armée de nouveaux missionnaires pour continuer l'œuvre de la Grande Mission, la plupart des croyants en Amérique du Nord sont restés indifférents. Ce que j'ai découvert, c'est que les choses ne sont pas ainsi parce que les chrétiens en Amérique ne sont pas généreux. Quand on leur fait connaître le besoin, ils sont rapides pour réagir. L'unique raison pour laquelle ils ne font rien est qu'ils ne sont pas au courant de ce qui se passe en Asie aujourd'hui.

Je crois que nous sommes appelés à participer à cette grande mission en offrant nos prières et notre soutien financier. Si nous le faisons, nous verrons peut-être s'accomplir cette prophétie :

Après cela, je regardai, et voici, il y avait une grande foule de croyants, que personne ne pouvait compter, de toute nation, de toute tribu, de tout peuple, et de toute langue. Ils se tenaient devant le trône et devant l'Agneau, revêtus de robes blanches, et des palmes dans leurs mains. Et ils criaient d'une voix forte, en disant : « Le salut est à notre Dieu qui est assis sur le trône, et à l'Agneau » (Apocalypse 7.9-10).

Cette prédiction est sur le point de s'accomplir. Aujourd'hui, pour la première fois de l'histoire, nous voyons que la poussée finale est donnée alors que les enfants de Dieu s'unissent pour en faire une réalité.

Ce qui devrait nous intriguer, surtout ici, dans l'Ouest, c'est la façon dont le mouvement des missionnaires asiatiques prospère sans l'aide et le savoir de notre planification occidentale. Le

Saint-Esprit, lorsque nous lui laissons la liberté d'œuvrer, suscite la croissance et l'expansion spontanées. À moins que nous ne considérions le mouvement des missionnaires natifs comme étant le plan de Dieu pour cette époque de l'histoire, et à moins que nous ne nous soumettions au service de son plan, nous risquons fort de compromettre la volonté de Dieu.

Dix-huit

Une vision universelle

Les missionnaires occidentaux devraient-ils tous quitter l'Asie pour toujours? Bien sûr que non. Dieu les appelle encore à accomplir des tâches uniques en Asie et ailleurs. Mais nous devons comprendre que, dans ces pays où les missionnaires occidentaux ne peuvent plus implanter d'Églises comme par les années passées, le rôle principal des Occidentaux est maintenant de soutenir les efforts des missionnaires indigènes sur le plan financier et par la prière d'intercession.

Je dois user de beaucoup de tact pour faire comprendre aux Nord-Américains qu'il y a énormément de préjugés contre eux presque partout en Asie. En réalité, j'écris cette partie du livre avec crainte et tremblement, mais il faut que ces vérités sortent au grand jour si nous voulons accomplir la volonté de Dieu dans les champs de missions asiatiques aujourd'hui.

Dennis E. Clark, dans *The Third World and Mission* (« Le tiers monde et les missions »), écrit : « Il y a des moments dans l'histoire où, peu importe le talent d'une personne, elle ne peut plus proclamer efficacement l'Évangile aux gens d'une autre culture. Un Allemand n'aurait pu le faire en Grande-Bretagne en 1941, pas plus qu'un Indien au Pakistan durant la guerre de 1967, et il sera extrêmement difficile pour les Américains de le faire au tiers monde des années 1980 et 1990. »[1] Voilà qui est tellement vrai, et pire encore, aujourd'hui.

Pour Christ, parce que son amour nous y contraint, il nous faut revoir les politiques financières et missionnaires de nos Églises et nos agences missionnaires nord-américaines. Chaque chrétien devrait reconsidérer sa façon de gérer son argent et se soumettre à la direction du Saint-Esprit pour savoir comment mieux soutenir l'Église universelle.

Je ne dis pas que nous devrions mettre un terme aux programmes de missions confessionnelles ou fermer les centaines de missions qui existent ici en Amérique du Nord, mais je recommande que nous révisions les politiques et les pratiques que nous avons adoptées depuis 200 ans. Le temps est venu de procéder à des changements majeurs et de lancer le plus important mouvement missionnaire de l'histoire, dont le but principal serait d'aider et d'envoyer des missionnaires-évangélistes natifs plutôt que des membres de notre Église occidentale.

Le principe que je défends est le suivant : nous croyons que la meilleure manière de gagner l'Asie pour Christ est de soutenir financièrement et par la prière, les missionnaires natifs que Dieu appelle au tiers monde. En règle générale, je crois, pour les raisons suivantes, qu'il est préférable de soutenir les missionnaires natifs dans leur pays plutôt que d'envoyer des missionnaires occidentaux.

Premièrement, ce serait une sage gestion. Selon Bob Granholm, ancien directeur général de Frontiers, au Canada, il en coûte entre 25 000 $ et 30 000 $ annuellement pour subvenir aux besoins d'un missionnaire sur le terrain, et aujourd'hui, ce chiffre dépasse les 40 000 $. Et même si ce chiffre est réel en ce qui concerne des agences comme Frontiers, Opération Mobilisation, Jeunesse en Mission et d'autres, mes recherches auprès des agences plus traditionnelles ont révélé que le coût peut être encore beaucoup plus élevé. L'une d'elles estime ses coûts à près de 80 000 $ par année pour garder un couple missionnaire en Inde.[2] Avec un maigre taux d'inflation de seulement 3 %, ce montant dépassera les 100 000 $ en moins de dix ans.

Dans un sondage sur l'évangélisation mondiale effectué dans les années 90, les dirigeants d'agences missionnaires ont estimé qu'ils auraient besoin de 200 000 nouveaux missionnaires avant l'an 2000 s'ils voulaient répondre aux besoins de la croissance de la population. Le coût d'un si modeste effort missionnaire représenterait 20 milliards de dollars par année. Si l'on considère qu'en 2000, les Américains ont contribué pour seulement 5,5 milliards de dollars aux missions[3], nous nous voyons obligés de lancer une gigantesque campagne de financement. Il doit y avoir une autre option.

En Inde, pour le prix d'un seul billet d'avion pour envoyer un Américain de New York à Mumbai, on peut soutenir un missionnaire natif pendant quelques années! À moins que nous ne tenions compte de cette réalité, nous passerons à côté de l'occasion unique que nous avons d'aller prêcher l'Évangile à des millions d'âmes perdues. Aujourd'hui, il est outrageusement exagéré d'envoyer un missionnaire nord-américain à l'étranger, à moins d'avoir de très bonnes raisons de le faire. D'un point de vue strictement financier, envoyer des missionnaires occidentaux outre-mer est l'investissement le plus douteux qu'on puisse faire.

Deuxièmement, dans plusieurs endroits, la présence de missionnaires occidentaux perpétue le mythe selon lequel le christianisme est la religion de l'Ouest. Bob Granholm déclare : « Bien que l'internationalisation actuelle des activités missionnaires représente un pas dans la bonne direction, il est souvent plus sage de ne pas donner un visage occidental aux efforts d'expansion du royaume. »

Roland Allen le dit mieux que moi dans son livre *The*

Spontaneous Expansion of the Church (« La croissance spontanée de l'Église ») :

> Même si nous disposions, de façon illimitée, d'hommes et de fonds de sources occidentales et que nous couvrions la planète de stations évangéliques et d'une armée de millions de missionnaires étrangers, le programme ne tarderait pas à révéler ses faiblesses, comme il a déjà commencé à le faire.
>
> Le simple fait que le christianisme serait propagé par une telle armée, établie dans des stations étrangères à travers le monde, ne ferait qu'aliéner les populations indigènes qui verraient en ce geste la croissance de la religion d'un peuple étranger. Ils se verraient privés de leur indépendance religieuse, et craindraient de plus en plus de perdre leur indépendance sociale.
>
> Des étrangers ne pourront jamais réussir à propager une croyance à travers un pays entier. Si la croyance n'est pas naturalisée et répandue parmi le peuple par sa propre force, elle exerce une influence alarmante et détestable, et les hommes la craindront et l'éviteront puisqu'ils la considèrent comme quelque chose d'étranger. Il est donc évident qu'un programme missionnaire sérieux ne peut reposer uniquement sur la multiplication de missionnaires et de stations évangéliques. Un millier ne suffirait pas et une dizaine pourrait être trop.[4]

Un de mes amis, qui dirige une organisation missionnaire semblable à la nôtre, m'a raconté récemment la conversation qu'il a eue avec des dirigeants d'Églises africaines.

Ces hommes lui ont dit : « Nous voulons évangéliser notre peuple, mais nous ne pouvons le faire tant que les missionnaires blancs seront là. Les gens ne nous écouteront pas. Les communistes et les musulmans leur disent que les missionnaires blancs sont des espions envoyés par leur gouvernement comme agents des impérialistes capitalistes. Nous savons que cela est faux, mais les journaux racontent que les fonds de certains missionnaires proviennent de la CIA (Agence centrale de renseignement aux États-Unis). Nous aimons les missionnaires américains qui œuvrent pour le Seigneur. Nous aimerions bien qu'ils puissent rester, mais ils doivent partir si nous voulons évangéliser notre pays. »

Aujourd'hui encore, nos Églises et nos organisations missionnaires gaspillent des millions de dollars à l'étranger pour ériger et protéger des structures organisationnelles élaborées. À une époque, les missionnaires occidentaux devaient eux-mêmes aller dans ces pays où l'Évangile n'était pas prêché. Mais nous vivons maintenant à une autre époque, et il est important de reconnaître que Dieu a appelé des missionnaires indigènes qui sont plus aptes que les étrangers à accomplir la tâche.

À présent, nous devons envoyer la plus grande partie de nos fonds aux missionnaires et aux mouvements d'implantation d'Églises locales. Toutefois, cela ne veut pas dire que nous ne reconnaissons pas l'héritage que nous ont légué les missionnaires occidentaux. Bien que je croie que des changements doivent être apportés à nos méthodes missionnaires, nous louons Dieu pour la merveilleuse contribution des missionnaires occidentaux aux pays du tiers monde qui n'avaient encore jamais entendu parler de Christ. Grâce à leur fidélité, de nombreuses personnes ont été conduites à Christ, des Églises ont été fondées et les Écritures ont été traduites. Ces convertis sont à leur tour missionnaires aujourd'hui.

Silas Fox, un Canadien qui a servi dans le sud de l'Inde, a appris à parler la langue du peuple, le télougou, et a prêché la Parole avec une telle onction qu'aujourd'hui, des centaines de leaders chrétiens dans l'État d'Andhra Pradesh peuvent retracer leurs origines spirituelles à son ministère.

Je remercie Dieu pour des missionnaires comme Hudson Taylor, qui, malgré les réticences de ses supérieurs de l'agence missionnaire, a vécu comme un Chinois et a gagné beaucoup de personnes à Christ. Je ne suis pas digne d'essuyer la poussière des pieds de ces milliers d'hommes et de femmes de Dieu qui sont allés à l'étranger à leur époque.

Jésus a établi le modèle de l'œuvre missionnaire locale. Il a dit : « Comme le Père m'a envoyé, moi aussi je vous envoie » (Jean 20.21). Le Seigneur est devenu l'un de nous afin de nous attirer à l'amour de Dieu. Il savait qu'il ne pouvait pas être un extra-terrestre venu de l'espace, alors, il a pris la forme d'un homme.

Si un missionnaire veut réussir, il doit s'identifier aux personnes qu'il veut évangéliser. Comme les Occidentaux sont habituellement incapables de faire cela, ils n'ont pas de succès. N'importe qui, Asiatique ou Américain, qui insiste à vouloir aller évangéliser au nom des missions et des organismes occidentaux, n'aura pas beaucoup de succès à notre époque. Nous ne pouvons pas maintenir un style de vie et un point de vue occidentaux en travaillant parmi les pauvres en Asie.

Troisièmement, les missionnaires occidentaux, avec l'argent qu'ils apportent, compromettent la croissance naturelle et l'indépendance de l'Église nationale. Le pouvoir économique des devises occidentales vient déformer l'image lorsque les missionnaires occidentaux embauchent des leaders nationaux de grand renom pour mener leurs organisations.

J'ai fait la connaissance, un jour, d'un missionnaire membre du conseil d'administration d'une des plus grandes confessions religieuses des États-Unis. C'est un homme plein d'amour, un frère en Christ que je respecte énormément, mais il dirige sa mission en Asie selon les principes coloniaux.

Nous avons parlé des amis que nous avons en commun et de la croissance extraordinaire que connaît actuellement l'Église en Inde. Nous avons beaucoup partagé dans le Seigneur. J'ai découvert qu'il a autant de respect que moi pour les frères indiens que Dieu utilise en Inde aujourd'hui. Toutefois, il ne voulait pas soutenir ces hommes qui sont évidemment choisis par Dieu.

Je lui ai demandé pourquoi. Sa confession dépense des millions de dollars annuellement pour ouvrir des églises en Asie. Cet argent pourrait mieux servir à soutenir des missionnaires natifs dans les Églises que le Saint-Esprit fait naître spontanément.

Sa réponse m'a surpris et peiné.

« Notre politique, m'a-t-il dit sans gêne, est d'utiliser les indigènes seulement pour agrandir les Églises qui se joignent à notre confession. »

Ses mots me tournaient dans la tête : « utiliser les indigènes ». C'était la façon de procéder des colonialistes et c'est encore la politique des missions occidentales néocoloniales. Avec leur argent et leur technologie, beaucoup d'organismes ne font qu'acheter les gens pour perpétuer leur confession religieuse, leur façon de faire et leur croyance étrangère.

En Thaïlande, un groupe de missionnaires natifs a été « acheté » par une puissante organisation paraecclésiastique américaine. Après avoir réussi à gagner leur propre peuple à Christ et à implanter des Églises à la manière thaïlandaise, ces hommes ont reçu une bourse pour aller étudier aux États-Unis. L'organisation américaine leur a fourni des allocations de dépenses, des voitures et des bureaux chics à Bangkok.

Quel prix le missionnaire natif a-t-il eu à payer? Il doit utiliser de la documentation et des films étrangers, en plus de se conformer aux méthodes de cette organisation américaine utilisant les nouvelles technologies. On ne prend pas le temps d'étudier l'efficacité que ces outils et ces méthodes auront sur l'Église de Thaïlande. Efficaces ou non, ils seront utilisés parce qu'ils sont inscrits dans les manuels de formation de l'organisation.

Après tout, le raisonnement de ce groupe est que, si cette façon de faire a généré de bons résultats à Los Angeles et Dallas, elle fonctionnera certainement en Thaïlande!

Ce genre de pensée tient vraiment du néocolonialisme. Se servir de l'argent que Dieu nous donne pour embaucher des gens qui perpétueront nos anciennes méthodes et théories impérialistes d'une façon moderne. Rien n'est plus contraire à ce que la Bible enseigne.

La triste réalité est que l'Esprit de Dieu faisait déjà un travail merveilleux en Thaïlande d'une manière culturellement acceptable. Pourquoi ce groupe d'Américains n'a-t-il pas plié les genoux en toute humilité devant le Saint-Esprit en disant : « Que ta volonté soit faite, Seigneur »? S'ils voulaient aider, je crois que la meilleure façon aurait été d'appuyer ce que Dieu faisait déjà par son Esprit Saint. Avant que ce groupe réalise à quel point il s'est trompé, les missionnaires qui ont perturbé l'Église seront rentrés chez eux pour ne jamais revenir.

Dans leurs rassemblements, ils raconteront les exploits qu'ils auront réalisés en Thaïlande alors qu'ils évangélisaient le pays à la manière des Américains. Cependant, personne ne posera la question de première importance : « Où sont les fruits durables? »

Très souvent, nous nous concentrons tellement sur l'expansion de notre propre organisation que nous ne comprenons pas la façon d'agir du Saint-Esprit sur les différents peuples de ce monde. Résolus à bâtir « nos » églises, nous n'avons pas remarqué de quelle manière Christ est en train de bâtir « son » Église dans chaque nation. Nous devons cesser de voir le monde perdu à travers les yeux de notre groupe religieux. C'est alors que nous gagnerons les âmes perdues pour Christ au lieu d'essayer d'ajouter de nouveaux chiffres à nos organisations d'hommes pour plaire au siège social qui gère les finances à sa guise.

Quatrièmement, les missionnaires occidentaux ne peuvent pas aller dans les pays où habitent la plupart des soi-disant « peuples isolés ». Plus de deux milliards de ces personnes existent dans le monde aujourd'hui. Des millions de millions d'âmes perdues n'ont jamais entendu l'Évangile. Nous savons qu'il faut aller vers eux, mais qui y ira? Les peuples isolés habitent presque tous des pays fermés qui limitent rigoureusement l'accès aux missionnaires américains et européens.

Des 135 000 missionnaires nord-américains qui sont activement engagés, moins de 10 000 d'entre eux œuvrent parmi les peuples isolés.[5] La vaste majorité œuvre dans des endroits où il y a des églises et où l'Évangile est déjà prêché.

Bien qu'un tiers des pays du monde aujourd'hui n'acceptent pas de missionnaires américains sur leur territoire, le missionnaire natif peut maintenant aller chez les peuples isolés voisins. Par exemple, un Népalais peut aller prêcher l'Évangile en Malaisie bien plus facilement qu'un Occidental.

Cinquièmement, les missionnaires occidentaux ne réussissent plus très bien à rejoindre les Asiatiques et à établir des églises locales dans les villages d'Asie. Contrairement à ceux-ci, les missionnaires asiatiques peuvent prêcher, enseigner et évangéliser sans restrictions et barrières. En tant que natifs du pays ou de la région, ils connaissent d'instinct les tabous culturels. Très souvent, ils maîtrisent la langue ou un de ses dialectes. Ils peuvent se déplacer sans difficulté et sont acceptés bon temps mauvais temps comme des gens de la place. Ils n'ont pas à être envoyés à des milliers de kilomètres et n'ont pas besoin d'une formation particulière ou d'un cours de langue.

Je me souviens d'un incident parmi tant d'autres qui illustre bien cette triste réalité. Du temps où je prêchais dans le nord-ouest de l'Inde, j'ai rencontré une missionnaire de la Nouvelle-Zélande qui œuvrait dans ce pays depuis 25 ans. Dans les derniers temps de son mandat, elle avait été assignée à travailler dans une librairie chrétienne. Un jour, mon équipe et moi avons voulu aller acheter des livres dans cette boutique, mais elle était fermée. Nous sommes donc allés directement au siège de sa mission, situé dans un manoir emmuré, pour savoir ce qui se passait. La missionnaire a répondu : « Je retourne chez moi pour toujours. »

Je lui ai demandé ce qu'il adviendrait de la librairie. La femme a répondu : « J'ai vendu tous les livres au prix de gros et j'ai fermé boutique. »

Avec beaucoup de regret, je lui ai demandé si elle n'aurait pas pu laisser quelqu'un d'autre s'occuper du magasin.
Elle a répondu qu'il n'y avait personne. Je me demandais comment il était possible qu'après avoir vécu 25 années en Inde, elle quittât le pays sans avoir gagné une seule personne à Christ, qui aurait pu prendre la relève. Elle et ses collègues missionnaires vivaient dans un complexe emmuré avec 3 ou 4 servantes chacun pour s'occuper de leurs besoins. Elle a perdu une vie entière en plus de montants astronomiques de l'argent précieux de Dieu, qui aurait pu servir pour prêcher l'Évangile. Je ne pouvais m'empêcher de penser que Jésus nous a appelés à être des serviteurs et non des maîtres. Si cette femme avait agi en servante, elle aurait accompli l'appel de Dieu sur sa vie et la Grande Mission.
Malheureusement, cette triste réalité se répète à travers le monde, dans les missions étrangères qui œuvrent à la manière coloniale. Tristement, il y a très peu de missionnaires traditionnels qui sont tenus responsables de l'absence de résultats, et dont les échecs sont rapportés chez eux dans l'Ouest.
Pendant ce temps, les évangélistes aborigènes voient sur chaque continent des milliers de personnes venir à Christ lors de grands mouvements de réveil. Chaque semaine, des centaines de nouvelles Églises sont fondées par des missionnaires du tiers monde!

Dix-neuf

Le devoir fondamental de l'Église

De toute évidence, Dieu agit avec puissance parmi les croyants d'Asie. Nous vivons les derniers et merveilleux jours de l'histoire chrétienne. Il est temps maintenant que les membres de la famille de Dieu, à l'exemple de l'Église du Nouveau Testament, s'unissent et partagent entre eux, que les Églises fortunées soient généreuses envers les Églises pauvres.

Le corps de Christ en Asie s'attend à ce que les chrétiens d'ailleurs dans le monde, tendent la main en ce temps de moisson et le soutiennent avec l'abondance matérielle que Dieu leur a donnée. Avec l'amour et le soutien financier des croyants du monde entier, nous pourrons aider les évangélistes natifs et leur famille à avancer et achever la tâche de l'évangélisation mondiale durant ce siècle.

Lorsque je m'adresse à une foule en Amérique du Nord, en Europe, en Australie, en Nouvelle-Zélande ou en Corée, c'est au nom de mes frères asiatiques que je parle. Dieu m'a appelé à être le serviteur des frères dans le besoin qui ne peuvent parler pour eux-mêmes.

En attendant de prononcer mon discours, j'observe la congrégation et très souvent je prie pour des missionnaires en particulier. Ma prière ressemble habituellement à ceci : « Seigneur Jésus, je m'apprête à parler au nom de Thomas John et de P. T. Steven ce soir. Aide-moi à les représenter fidèlement.

Puissions-nous combler leurs besoins grâce à cette réunion. »

Bien entendu, je nomme chaque fois des missionnaires différents, mais je crois que la volonté de Dieu ne sera pas accomplie au cours de cette génération, à moins que mes auditeurs et d'autres comme eux ne répondent aux cris des perdus. Chacun d'entre nous doit suivre le Seigneur là où il l'a appelé à servir : les évangélistes aborigènes dans leur pays et les donateurs dans le leur. Quelques-uns obéissent en allant dans les champs missionnaires, d'autres en soutenant ces derniers financièrement. Même si vous ne pouvez pas aller en Asie, vous pouvez réaliser la Grande Mission en aidant à envoyer des frères asiatiques sur le terrain.

Voilà une réalité parmi d'autres que les chrétiens d'Occident ne semblent plus comprendre. La plupart de nos Églises ne prêchent et n'enseignent plus rien sur les missions. Nous apercevons partout le triste résultat de ce fait. Bon nombre de croyants ne savent plus ce qu'est un missionnaire, ce qu'il fait ou ce qu'est le devoir de l'Église relativement à la Grande Mission.

La baisse d'intérêt pour les missions est un signe évident que l'Église a abandonné son premier amour. Rien n'est plus révélateur de la déchéance morale de l'Occident, que des chrétiens qui n'ont plus la passion de Christ pour le monde perdu.

Plus je vieillis, plus je comprends la véritable raison pour laquelle des millions de personnes vont en enfer sans avoir entendu l'Évangile.

En fait, le problème ne vient pas vraiment des missions. Comme je l'ai dit précédemment, le problème en est un d'ordre théologique, de mauvaise compréhension et d'incrédulité. De nombreuses Églises se sont tellement éloignées de l'enseignement biblique que les chrétiens ne comprennent pas pourquoi le Seigneur nous a laissés sur cette terre.

Chacun de nous a été appelé pour une raison bien particulière.

Il y a quelques années, alors que j'étais en Inde du Nord, un jeune garçon de huit ans m'observait un jour pendant que je m'installais pour ma méditation matinale. J'ai commencé à lui parler de Jésus et lui ai posé plusieurs questions.

« Que fais-tu? ai-je demandé au garçon. »

« Je vais à l'école, a-t-il répondu. »

« Pourquoi vas-tu à l'école? »

« Pour étudier. »

« Pourquoi est-ce que tu étudies? »

« Pour être intelligent. »

« Pourquoi veux-tu devenir intelligent? »

« Je pourrai avoir un bon travail. »

« Pourquoi veux-tu avoir un bon travail? »

« Pour gagner beaucoup d'argent. »

« Pourquoi veux-tu faire beaucoup d'argent? »

« Pour acheter de la nourriture. »

« Pourquoi veux-tu acheter de la nourriture? »

« Pour me nourrir. »

« Pourquoi veux-tu te nourrir? »

« Pour survivre. »

« Pourquoi vis-tu? »

Puis, le garçon a réfléchi un instant, s'est gratté la tête, m'a regardé dans les yeux et a dit : « Monsieur, pourquoi est-ce que je suis en vie? » Il s'est arrêté un moment pour réfléchir encore, et a répondu lui-même à sa question : « Pour mourir! »

Cette question est valable pour nous tous : *pourquoi sommes-nous en vie?*

Quel est le but de votre vie ici sur terre en tant que disciple de Jésus-Christ? Est-ce d'accumuler des richesses? La notoriété? La popularité? Est-ce de satisfaire aux désirs de votre chair et de votre esprit, espérant aller au ciel après avoir persévéré jusqu'à la fin?

Non. Le but de la vie d'un croyant doit être d'obéir à Jésus quand il dit : « Allez par tout le monde, et prêchez la Bonne Nouvelle » (Marc 16.15). C'est ce que Paul a fait après avoir déposé ses armes. Il a dit : « Seigneur, que veux-tu que je fasse? » (Actes 9.6).

Si vous ne vous souciez que de votre vie, de votre emploi, de vos vêtements et ceux de vos enfants, d'avoir un corps en santé, une bonne éducation, un emploi passionnant et un mariage réussi, alors vous n'êtes pas différent des perdus qui vivent au Bhoutan, au Myanmar ou en Inde.

Depuis quelques mois, j'ai beaucoup repensé à ces sept années durant lesquelles j'allais évangéliser de village en village, et je réalise que cette expérience a certainement été la plus instructive de toute ma vie. Avec les autres membres de l'équipe, nous marchions sur les traces de Jésus, l'incarnant et le représentant aux foules qui n'avaient jamais entendu l'Évangile.

Quand Jésus était sur la terre, il n'avait d'autre objectif que de faire la volonté de son Père. Le seul but d'un chrétien devrait être d'accomplir la volonté de Dieu. Jésus ne vit plus sur la terre. Nous sommes son corps, il est notre tête, ce qui veut dire que notre bouche est la sienne. Nos mains sont ses mains; nos yeux sont ses yeux; notre espoir est son espoir. Ma femme et mes enfants appartiennent à Jésus. Mon argent, mes talents, mon éducation appartiennent tous à Jésus.

Quelle est donc la volonté du Seigneur? Que devons-nous faire de tous les cadeaux qu'il nous a donnés dans ce monde?

Il nous précisé : « Comme le Père m'a envoyé, moi aussi je vous envoie » (Jean 20.21). « Allez, faites de toutes les nations des disciples, les baptisant au nom du Père, du Fils et du Saint-Esprit, et enseignez-leur à observer tout ce que je vous ai prescrit. Et voici, je suis avec vous tous les jours, jusqu'à la fin du monde » (Matthieu 28.19-20).

Tous les chrétiens devraient connaître la réponse aux trois questions fondamentales suivantes concernant les missions, afin d'être capables d'accomplir l'appel du Seigneur, qui veut que nous évangélisions les gens perdus pour lui.

Question numéro 1 : Quel est le devoir fondamental de l'Église? Chacun des quatre évangiles (Matthieu, Marc, Luc et Jean) nous présente un mandat de la part de notre Seigneur Jésus, qui est la mission de l'Église, que nous appelons la Grande Mission. Voyez Matthieu 28.18-20; Marc 16.15-16; Luc 24.47 et Jean 20.21.

La Grande Mission nous dévoile la vraie raison pour laquelle Dieu nous a laissés dans ce monde, c'est-à-dire l'activité principale de l'Église en attendant que Jésus, le Roi des rois, revienne pour nous prendre avec lui. Il veut que nous allions en tous lieux proclamer l'amour de Dieu à un monde perdu. Nous devons aller en son autorité et avec son pouvoir prêcher l'Évangile, faire des disciples, baptiser les gens et leur enseigner à obéir à tous les commandements de Christ.

Pour ce faire, il ne suffit pas de distribuer des dépliants, d'organiser des réunions de rue et de faire preuve de compassion envers les malades et les affamés. Le Seigneur désire que nous continuions de lui servir d'agents pour racheter et transformer la vie des gens. Faire des disciples, selon la définition de Jésus, est évidemment un processus à long terme qui comprend l'implantation d'églises locales.

Il faut également remarquer que toutes références à la Grande Mission sont accompagnées de promesses de puissance divine. L'expansion globale de l'Église est évidemment une tâche réservée à des gens bien spéciaux, ayant une relation si intime avec Dieu qu'ils peuvent reconnaître et exercer son autorité.

Question numéro 2 : Qui sont les missionnaires? Un missionnaire est toute personne envoyée par le Seigneur pour apporter un témoignage chrétien dans un endroit où il n'y en a jamais eu. Selon la tradition, un missionnaire quitte habituellement sa culture pour une autre, afin d'apporter l'Évangile à des personnes qui se distinguent de son groupe ethnique, soit dans la langue, la nationalité, la race ou la tribu.

Pour une raison ou une autre, beaucoup en sont venus à croire qu'un missionnaire n'est qu'une personne qui quitte l'Occident pour aller en Asie, en Afrique ou en d'autres terres étrangères. Il n'en est rien. Un ancien brahmane hindou qui franchit la ligne subtile des castes en Inde pour œuvrer auprès des gens des castes inférieures devrait être reconnu comme missionnaire au même titre que celui qui part de Détroit pour aller à Calcutta.

Les chrétiens de l'Ouest doivent abandonner l'idée non biblique qu'ils ne doivent soutenir que les missionnaires « blancs » d'Amérique. Aujourd'hui, il est essentiel que nous soutenions les missionnaires indiens qui vont du sud au nord de l'Inde, les Philippins qui vont d'une île à une autre, et les Coréens qui vont en Chine.

À moins que nous ne cessions de pratiquer le racisme sous-entendu dans la définition d'un missionnaire, nous ne gagnerons jamais le monde pour Christ. Les gouvernements peuvent fermer les portes de leur pays aux missionnaires occidentaux, mais ils ne peuvent les fermer à leur propre peuple. Le Seigneur appelle actuellement une armée de missionnaires nationaux, mais ils ne peuvent se mettre à l'œuvre à moins que les Nord-Américains continuent de soutenir l'œuvre comme ils le faisaient à l'époque où les Occidentaux étaient acceptés dans ces régions.

Question numéro 3 : Où sont les champs de mission? Une des plus grandes erreurs que nous commettons est de définir les champs missionnaires en termes d'États nationaux. Ce ne sont là que des barrières gouvernementales établies le long des lignes arbitraires en temps de guerre ou des frontières naturelles telles que des chaînes de montagnes et des rivières.

Une définition plus biblique se conforme aux groupes

linguistiques et tribaux. En conséquence, un champ missionnaire est un groupe culturel qui n'a aucun groupe de disciples établi. Les Arabes de la ville de New York, par exemple, ou la tribu indienne des Hopis à Dallas, aux États-Unis, sont des gens qui ne connaissent pas l'Évangile. Au-delà de 10 000 groupes isolés de ce genre dans le monde représentent le véritable champ de missions de notre temps.[1]

Ces gens seront atteints uniquement si une personne d'une culture différente de la leur accepte de sacrifier le confort de sa communauté pour aller leur présenter l'Évangile de Christ. Et pour arriver à faire cela, cette personne a besoin de l'aide financière et des prières des croyants de son Église. Le mouvement des missionnaires natifs de l'Asie, à cause de sa proximité des autres peuples du monde qui ne connaissent pas l'Évangile, est mieux placé pour envoyer des évangélistes. Mais ils ne réussissent pas toujours à recueillir les fonds nécessaires auprès des populations indigentes de leur région. C'est là que les chrétiens occidentaux peuvent leur venir en aide, en partageant leur richesse avec les serviteurs de Dieu en Asie.

George Verwer, dirigeant de mission, croit que les chrétiens en Amérique du Nord ne font, pour la plupart, que jouer aux soldats. Mais il croit également, tout comme moi, qu'il y a en Amérique, et ailleurs dans le monde occidental, des individus et des groupes qui désirent réveiller le « géant endormi » pour soutenir les missionnaires nécessaires à l'évangélisation de l'Asie. Nous ne devrions pas nous reposer tant que la tâche ne sera pas terminée.

Vous ne serez peut-être jamais appelé personnellement à aller vers les peuples isolés de l'Asie, mais en vous sacrifiant chez vous, vous pouvez faire en sorte que des millions d'Asiatiques entendent l'Évangile.

Aujourd'hui, je lance un appel aux chrétiens et leur demande d'abandonner leur christianisme stagnant, de prendre les armes spirituelles et de se mettre en marche contre l'ennemi. Nous devons commencer à tenir compte des versets qui disent : « Si quelqu'un veut venir après moi, qu'il renonce à lui-même, qu'il se charge de sa croix, et qu'il me suive » (Matthieu 16.24) et « Ainsi donc, quiconque d'entre vous ne renonce pas à tout cequ'il possède ne peut être mon disciple » (Luc 14.33).

Ces lignes ont-elles été écrites seulement pour les missionnaires natifs sur la ligne de front, qui sont lapidés, battus et privés de nourriture pour leur foi? Ou ont-elles été écrites uniquement pour les croyants nord-américains qui profitent du confort dans leurs églises, de leurs conférences et de leurs concerts?

Bien sûr que non. Ces versets s'appliquent autant aux chrétiens de Bangkok, de Boston et de Bombay. Verwer affirme ceci :

Certains livres et magazines missionnaires donnent l'impression que l'évangélisation mondiale n'est qu'une question de temps. Une étude plus approfondie du phénomène démontre que, dans les régions densément peuplées, l'évangélisation régresse au lieu d'avancer.

À la lumière de ces faits, nos tactiques sont tout simplement absurdes. Approximativement 80 % de nos efforts missionnaires, souvent trop faibles, ne sont encore dirigés que vers 20 % de la population mondiale. Littéralement, des centaines de millions de dollars sont investis dans toutes sortes de projets chrétiens chez nous, en particulier dans les bâtiments, alors qu'une maigre contribution se rend dans les régions éloignées. Des croyants seulement partiellement engagés à servir Dieu croient qu'en donnant quelques centaines de dollars, ils ont apporté leur contribution. Pendant très longtemps, nous nous sommes tous comparés à notre voisin, et nous avons oublié les normes établies par des hommes comme Paul ou Jésus lui-même.

Durant la Seconde Guerre mondiale, les Anglais se sont

montrés capables de sacrifices étonnants, tout comme l'ont fait bien d'autres nations. Ils n'ont vécu que de maigres rations. Ils ont démonté leurs balustrades et les ont envoyées aux fabriques d'armement. Mais aujourd'hui, alors que nous vivons une véritable guerre spirituelle à travers le monde, plusieurs chrétiens vivent comme des soldats en temps de paix. Prenez l'exemple de l'exhortation que Paul fait à Timothée : « Souffre avec moi, comme un bon soldat de Jésus-Christ. Il n'est pas de soldat qui s'embarrasse des affaires de la vie, s'il veut plaire à celui qui l'a enrôlé » (2 Timothée 2.3-4). Nous semblons avoir un concept étrange du service chrétien. Nous achetons des livres, voyageons des kilomètres pour entendre parler des bénédictions de Dieu par la bouche d'un conférencier, payons des sommes exorbitantes pour entendre un groupe chanter leurs nouveaux chants, mais nous oublions que nous sommes des soldats.[2]

Jour après jour, je persiste à essayer de faire passer mon message : des missionnaires natifs affamés et souffrants, attendent d'aller présenter l'Évangile au village voisin, mais ils ont besoin de vos prières et de votre soutien financier. C'est un jour nouveau dans les missions, et il faut que les chrétiens de l'Occident coopèrent avec ceux du monde oriental.

Vingt

« Seigneur, aide-nous à te demeurer fidèles »

Il n'y a aucun doute, aujourd'hui, Dieu agit de façon miraculeuse. Sans avoir à faire de publicité excessive, un nombre croissant de croyants comprennent la vision de la troisième vague de Dieu dans les missions. Déjà, nous avons vu des milliers de personnes se rallier pour contribuer au travail. Mais je crois qu'il ne s'agit là que d'un avant-goût des millions d'autres qui répondront à l'appel dans les jours à venir. Beaucoup de pasteurs, de dirigeants d'églises, d'anciens missionnaires et de présentateurs dans le monde occidental offrent également leur soutien.

En plus de ces donateurs et commanditaires généreux, des bénévoles coordonnent les efforts de base du mouvement. Ce réseau d'ouvriers occidentaux contribue énormément à la réalisation de la Grande Mission. Ces personnes représentent Gospel for Asia dans les conférences et offrent de la documentation à leurs amis. Elles présentent des vidéos et partagent ce que le Seigneur fait à travers les missionnaires natifs dans les églises, à l'école du dimanche, dans les études bibliques, les réunions de prière et les autres activités chrétiennes. En recrutant de nouveaux « envoyeurs », ils multiplient ce qu'ils sont eux-mêmes capables de donner.

Je n'oublierai jamais une chère veuve retraitée que j'ai rencontrée lors d'une tournée. Enthousiasmée par l'idée qu'elle puisse encore aider, même si elle ne travaillait plus, elle s'est engagée à soutenir un missionnaire à partir du maigre revenu qu'elle recevait de la sécurité sociale.

Six mois plus tard, elle m'a écrit une lettre très triste : « Frère K. P., je suis tellement privilégiée de pouvoir soutenir un missionnaire. Je vis toute seule maintenant sur un revenu fixe. Je sais qu'à mon arrivée au ciel, je rencontrerai des personnes qui seront venues à Christ grâce à mes dons, mais je suis obligée de réduire mon soutien parce que le coût de l'électricité et de certains autres services ont augmenté. Priez pour moi afin que je puisse donner à nouveau mon plein soutien. »

Quand ma femme Gisela m'a montré la lettre, j'ai été profondément touché. J'ai téléphoné à la dame pour lui dire qu'elle ne devait pas se sentir coupable, puisqu'elle faisait tout son possible. Je lui ai même suggéré de ne plus donner si cela devenait trop difficile.

Deux semaines plus tard, j'ai reçu une autre lettre de la dame. « Tous les jours, je priais pour trouver un moyen d'envoyer plus d'argent à mon missionnaire. Pendant que je priais, le Seigneur m'a montré une façon : j'ai fait débrancher mon téléphone. »

J'ai regardé le chèque. J'avais les yeux pleins de larmes en pensant au sacrifice que cette femme faisait. J'ai pensé qu'elle devait souffrir de solitude. Qu'arriverait-il si elle devenait malade? Sans téléphone, elle serait coupée du monde. Tenant le chèque entre mes deux mains, j'ai prié : « Seigneur, aide-nous à te demeurer fidèles et à honorer ce grand sacrifice. »

Un autre don, cette fois d'un garçon de 13 ans du nom de Tommy, fait preuve de ce même esprit de sacrifice. Pendant plus d'un an, Tommy avait économisé pour s'acheter une bicyclette pour voyager à l'école. Puis, il a lu ce que représente un vélo pour un missionnaire asiatique comme Mohan Ram et sa femme dans l'État du Tamil Nadu. Depuis 1977, Mohan voyageait à pied de village en village sous un soleil de plomb. Avec sa femme, ils étaient engagés dans l'implantation d'Églises grâce aux cours d'études bibliques, à l'évangélisation en plein air, à la distribution de tracts, au ministère auprès des enfants et à la traduction de la Bible. Il vivait avec sa famille dans une pièce louée et devait marcher plusieurs kilomètres ou voyager en autobus pour aller évangéliser. Une bicyclette représenterait plus pour lui qu'une voiture pour une personne habitant une banlieue américaine.

Mais une nouvelle bicyclette de fabrication indienne, au coût de 105 $, était au-dessus des moyens de cette famille. Ce qui m'a fasciné à mon arrivée aux États-Unis, c'est qu'une bicyclette est considérée comme un jouet d'enfant ou un instrument pour perdre du poids. Pour un missionnaire asiatique, elle représente un moyen d'étendre le ministère et de réduire la souffrance de façon considérable.

Quand Tommy a su que les missionnaires natifs peuvent parcourir entre 25 et 30 kilomètres par jour à bicyclette, il a décidé de donner à Gospel for Asia l'argent qu'il avait économisé pour s'en acheter une.

Il a écrit : « Je peux utiliser la vieille bicyclette de mon frère. Mon père est d'accord pour que j'envoie l'argent que j'ai économisé à un missionnaire natif. »

Certaines personnes trouvent des moyens inusités de collecter de l'argent pour soutenir un missionnaire. Un travailleur d'usine fait la tournée des poubelles sur son lieu de travail pour ramasser les cannettes de boissons gazeuses. Chaque mois, il nous envoie un chèque qui est généralement suffisant pour soutenir au moins deux missionnaires.

Le pasteur d'une congrégation de plus de 12 000 membres dans le sud-ouest du pays soutient personnellement plusieurs missionnaires. Comme d'autres pasteurs, il s'est rendu lui-même à l'étranger pour en savoir plus sur le ministère des missionnaires asiatiques. En plus de la contribution mensuelle de son assemblée, il a invité plusieurs fois des employés de Gospel for Asia à venir faire des présentations dans son église. En résultat, des centaines de familles ont décidé de parrainer des missionnaires. Beaucoup d'autres pasteurs ont décidé de suivre son exemple en incluant Gospel for Asia dans leur budget missionnaire.

Une jeune femme dont les parents ont servi comme missionnaires en Inde pendant 30 ans a dit : « Je me suis toujours demandé pourquoi mes parents n'ont jamais vu personne venir à Christ par l'intermédiaire de leur ministère. Maintenant, je suis heureuse de pouvoir soutenir un missionnaire natif qui produit des fruits. »

Certains organismes chrétiens aux États-Unis ont contribué au ministère de Gospel for Asia de façon unique. Par exemple, nous avons été invités à représenter officiellement les missions du tiers monde lors d'une tournée de concert à la mémoire de Keith Green.

Un des amis les plus chers de Gospel for Asia est David Mains, de Mainstay Ministries, à Wheaton en Illinois. Mes passages à son émission radiophonique ont attiré des commanditaires d'un bout à l'autre des États-Unis. David et sa femme, Karen, nous ont conseillés dans plus d'un domaine, y compris la publication de ce livre.

Quoique David et Karen n'aient jamais rien dit à propos des dons sacrificiels, je sais qu'ils nous ont aidés à des périodes où leur propre ministère était en difficulté sur le plan financier. Mais, la Bible ne ment pas quand elle dit : « Donnez et il vous sera donné… » (Luc 6.38). Une des lois du royaume qui ne change pas est qu'il faut toujours donner généreusement, en temps favorable ou non. Combien d'Églises nord-américaines, de ministères chrétiens et de croyants éprouvent des difficultés financières parce qu'ils ont désobéi à Dieu qui nous commande clairement de partager?

Je pourrais en nommer de nombreux autres qui ont aidé, mais un que je dois absolument nommer est Bob Walker, qui, pendant longtemps, a édité et publié une revue chrétienne. Sensible à la direction du Saint-Esprit, après avoir prié pour nous, Bob nous a dit qu'il sentait que Dieu lui demandait de faire paraître des articles et des rapports sur le ministère de Gospel for Asia. Il nous a aussi prêté sa liste de diffusion, a soutenu notre ministère et encouragé ses lecteurs à soutenir le mouvement des missionnaires natifs alors que d'autres préféraient attendre pour voir ce que le futur nous réservait.

Ce genre de générosité a vraiment aidé à lancer Gospel for Asia et nous permet de continuer de grandir. Chaque soir, dans nos réunions de prière, nous pensons à remercier Dieu pour de telles faveurs, et nous prions que d'autres leaders puissent être touchés et ressentir le besoin de partager leurs ressources avec le tiers monde.

Ce qui est le plus encourageant, depuis le temps, est sans doute le changement progressif dans l'attitude des agences missionnaires en Amérique du Nord à l'égard du mouvement des missions locales.

Une après l'autre, les plus anciennes missions et confessions ont changé leur politique « antinatifs » et ont commencé à soutenir le mouvement des missionnaires natifs en tant que partenaires égaux dans l'œuvre d'évangélisation. Les vieilles pensées racistes et coloniales disparaissent lentement mais sûrement.

Je crois que cela pourrait avoir un impact positif à long terme. Si les confessions occidentales et les sociétés missionnaires

PHOTO DU HAUT : Ces missionnaires de Gospel for Asia ont pour tâche d'aller vers les gens qui n'ont jamais entendu l'Évangile dans les régions montagneuses du Népal. Ils doivent souvent parcourir des sentiers dangereux, risquant leur vie pour évangéliser les peuples isolés.

PHOTO DE DROITE : Chaque année, Gospel for Asia produit près de 25 millions de documents imprimés en 18 langues pour présenter la Bonne Nouvelle aux multitudes qui ont grandement besoin de l'Évangile.

PHOTO DE DROITE : Chaque année, des dizaines de missionnaires nationaux sont battus pour avoir prêché l'Évangile. Certains doivent être hospitalisés, et d'autres sont même martyrisés pour Christ. Même s'ils connaissent les risques, ils continuent de sortir, portant dans le cœur un désir ardent d'amener le message de Jésus-Christ aux régions perdues de l'Asie.

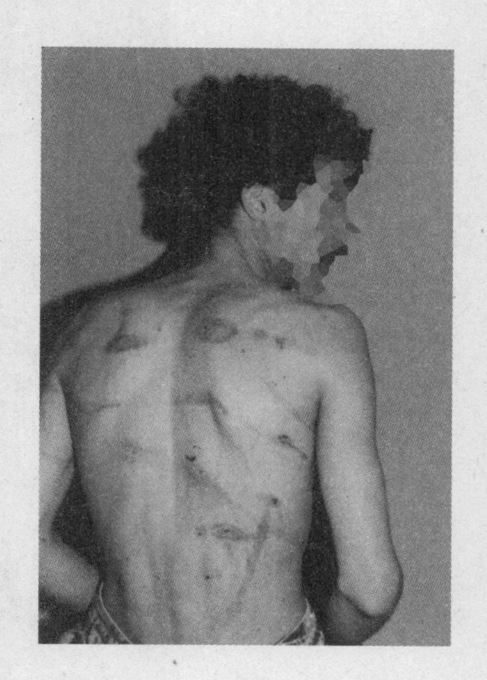

PHOTO DU BAS : Les équipes ambulantes de Gospel for Asia sont un outil d'évangélisation des plus efficaces. Équipées de documentation chrétienne, du film de la vie de Jésus, d'un générateur et d'un mégaphone, elles voyagent de village en village, prêchant l'Évangile et fondant des Églises.

PHOTO DU HAUT : Les missionnaires asiatiques doivent souvent parcourir entre 15 et 25 kilomètres à pied pour se rendre dans un seul village isolé. Une bicyclette leur permet d'en visiter des dizaines. Chaque année, Gospel for Asia achète des milliers de bicyclettes qui permettent aux missionnaires d'aller plus loin, plus rapidement.

PHOTO DE GAUCHE : Avec un taux d'analphabétisme de 60 à 80 % dans bien des régions du sous-continent indien, les tableaux comme celui-ci sont utiles pour communiquer clairement l'Évangile. Ces villageois écoutent attentivement pendant que le missionnaire leur parle du Seigneur Jésus-Christ. Souvent, ils reçoivent Jésus dans leur cœur, là, en pleine rue.

PHOTO DE DROITE : La radio est un moyen extrêmement efficace pour secourir les peuples qui n'ont jamais entendu l'Évangile. En collaboration avec des personnalités de la radio internationale, Gospel for Asia diffuse quotidiennement des émissions dans 103 langues. Il en résulte que plus de 80 000 personnes nous écrivent chaque mois pour en savoir davantage sur le Seigneur.

PHOTO DU BAS : Cette famille népalaise écoute l'émission de Gospel for Asia dans leur langue. Chaque année, dans les régions éloignées du champ missionnaire, des Églises sont créées grâce aux émissions de radio de Gospel for Asia. Des millions de personnes entendent parler de Jésus par ce moyen de communication.

anciennes se servaient de leurs immenses réseaux de contacts pour recueillir des fonds pour les missions asiatiques, il serait possible pour nous et d'autres ministères semblables de subvenir aux besoins de plusieurs centaines de milliers de missionnaires supplémentaires au tiers monde.

John Haggai a posé cette question : « À une époque où plus ou moins les trois quarts de la population du tiers monde vivent dans des pays où l'on décourage ou interdit carrément les efforts missionnaires étrangers, quel autre moyen y a-t-il d'obéir au commandement de Jésus-Christ d'évangéliser le monde? Pour un grand nombre de chrétiens sérieux, la réponse est de plus en plus évidente : dans ces pays fermés, l'évangélisation par les leaders chrétiens nationaux est la réponse logique. Quelques observateurs sont allés jusqu'à dire que ce serait probablement la seule façon de faire. »

Le jour du mouvement missionnaire natif est arrivé. Les graines ont été semées. Devant nous se dressent de grands champs à cultiver et à entretenir, mais nous pouvons y arriver en partageant nos ressources comme l'apôtre Paul l'a souligné aux chapitres 8 et 9 de 2 Corinthiens, où il encourage les chrétiens riches à envoyer de l'argent pour soutenir les Églises pauvres, de sorte que l'égalité existe dans tout le corps de Christ. Il dit qu'à l'exemple de Christ, ceux qui sont en moyens doivent partager avec ceux qui ne le sont pas.

« Car vous connaissez la grâce de notre Seigneur Jésus-Christ, qui pour vous s'est fait pauvre, de riche qu'il était, afin que par sa pauvreté vous soyez enrichis » (2 Corinthiens 8.9). C'est là le message urgent du Nouveau Testament que je répète aux chrétiens riches et prospères de l'Occident. Beaucoup sont de plus en plus prêts à suivre l'exemple de notre Seigneur Jésus, qui s'est fait pauvre pour le salut des autres.

Combien sont prêts à vivre pour l'éternité en suivant son exemple de vie sacrificielle? Combien s'uniront à l'esprit de souffrance des frères asiatiques? Ils sont nus, affamés et sans-abri à cause de Christ. Je ne demande pas aux Occidentaux d'aller les rejoindre, de dormir en bordure des routes et d'aller en prison pour leur témoignage. Par contre, je leur demande de faire leur part de la manière la plus pratique possible, c'est-à-dire en partageant leur abondance financière et en priant.

Un couple a saisi le message et a démontré un véritable esprit de compréhension. Récemment, cet homme et cette femme ont écrit : « Alors que nous lisions votre revue SEND!, le Seigneur a commencé à nous parler d'aller en Inde. Nous avons commencé à considérer cette possibilité et à rechercher la volonté du Seigneur. Il nous a parlé à nouveau en disant : "Vous n'irez pas physiquement, vous y irez spirituellement et financièrement."

« Eh bien, Dieu soit loué, voici notre "premier voyage" en Inde! S'il vous plaît, utilisez cet argent, là où le besoin est plus criant. Que le Seigneur déverse ses bénédictions les plus riches sur vous et votre ministère. »

La lettre était accompagnée d'un chèque de 1000 $, et était signée « Compagnons d'œuvre en Christ, Jim et Betty ».

Quelle est ma prière? Que plusieurs centaines de milliers d'autres personnes comme Jim et Betty puissent avoir la sensibilité spirituelle pour entendre ce que le Seigneur dit aujourd'hui à l'Église nord-américaine!

Vingt et un

Mis à l'épreuve

Il m'a souri chaleureusement de l'autre côté de son immense bureau verni. J'étais très impressionné. Cet homme dirigeait l'un des plus importants ministères en Amérique, pour lequel j'avais, depuis de nombreuses années, beaucoup d'admiration. Un grand prédicateur, auteur et leader, il avait de nombreux disciples, autant parmi le clergé que les laïcs.

Il m'avait envoyé un billet d'avion et invité à venir lui donner des conseils sur la façon d'étendre son ministère en Inde. J'étais flatté. Son intérêt pour Gospel for Asia et le mouvement des missions locales me réjouissait beaucoup plus que je n'osais le lui faire croire. Dès l'instant où il m'a téléphoné, j'ai senti que cet homme pourrait être une aide d'une grande valeur à bien des égards. Il pourrait sans doute ouvrir des portes qui nous aideraient à trouver des donateurs pour quelques-uns des centaines de missionnaires asiatiques en attente d'un soutien financier.

Mais je ne m'attendais pas du tout à recevoir une offre aussi généreuse. Elle s'est avérée être le premier test parmi plusieurs pour notre organisation.

« Frère K. P., m'a-t-il dit lentement, accepteriez-vous d'abandonner ce que vous faites ici aux États-Unis pour devenir notre représentant en Inde? Nous croyons que Dieu vous appelle à travailler avec nous pour apporter le message de notre Église aux Indiens. Nous vous appuierons entièrement dans tout. »

Et sans s'arrêter pour reprendre son souffle, il a poursuivi : « Vous aurez tout ce dont vous aurez besoin. Nous vous donnerons une imprimerie ainsi que des fourgonnettes et de la documentation. Nous sommes prêts à fournir tous les fonds nécessaires, plusieurs fois ce que vous pourriez recueillir à vous seul. »

C'était une offre extrêmement intéressante. Et puis, l'homme a ajouté autre chose de plus alléchant encore. « Vous n'auriez plus à voyager ni à organiser des activités de financement. Vous n'auriez plus besoin de bureaux et d'employés aux États-Unis. Nous nous chargerions de tout cela pour vous. Vous voulez être en Asie, n'est-ce pas? Il y a beaucoup à faire là-bas, alors nous vous libérerions pour que vous puissiez y retourner et diriger le ministère sur place. »

Ébahi par l'idée de voir autant de mes prières exaucées d'un seul coup, je me suis laissé aller à imaginer toutes les possibilités. J'ai cru que c'était certainement la plus extraordinaire réponse à nos prières. Tout en parlant avec cet homme, mon regard s'est arrêté inconsciemment sur un de ses albums à succès de messages audio. C'était une très bonne série d'enseignements portant sur un sujet des plus controversés aux États-Unis à l'époque. Ils n'avaient toutefois rien à voir avec les besoins et les problèmes en Asie.

Croyant déceler en moi un intérêt pour ces cassettes, l'homme m'a parlé d'un ton très sûr de lui. « Nous commencerons par ces enregistrements, m'a-t-il dit en me les remettant. Je vous fournirai l'équipement nécessaire pour les produire en Inde. Nous pourrons même les faire traduire dans toutes les langues importantes. Nous en produirons des millions d'exemplaires et les distribuerons à chaque croyant indien. »

J'avais déjà entendu d'autres hommes émettre des idées aussi farfelues. Les cassettes ne serviraient à rien en Inde. Des millions d'Indiens risquaient de finir en enfer, et le message de cet homme ne leur serait d'aucune utilité. Toutefois, même si la proposition de cet homme était à mon avis insensée, je me suis efforcé de rester poli.

« Eh bien, il y a du matériel ici qui pourrait être adapté à la culture indienne et produit sous forme de livret », lui ai-je dit sans conviction réelle.

Soudainement, son visage s'est figé. J'ai senti que je venais de dire quelque chose que je n'aurais pas dû.

« Oh non, a-t-il dit d'un air entêté. Je ne peux changer aucun mot. C'est le message que j'ai reçu de Dieu. Cela fait partie de notre raison d'être. Si le problème n'existe pas actuellement en Inde, ce n'est qu'une question de temps avant qu'il devienne une réalité. Nous avons besoin de vous pour nous aider à faire circuler ce message en Asie. »

En un instant, ce serviteur de Dieu, un homme foncièrement bon, a montré ses vraies couleurs. Son cœur ne brûlait d'aucune passion pour les perdus et les Églises d'Asie. Il avait une mission à réaliser à l'étranger et il croyait avoir suffisamment d'argent pour m'acheter et m'envoyer l'accomplir pour lui. C'était le même vieux refrain; un cas de néocolonialisme religieux.

Je me retrouvais encore une fois face à face avec l'orgueil charnel, dans toute sa laideur. J'avais admiré et aimé cet homme et son ministère, mais il avait un problème : comme beaucoup d'autres avant lui, il croyait que si Dieu allait faire quelque chose dans ce monde, c'est par lui qu'il le ferait.

Dès que j'en ai eu l'occasion, j'ai poliment pris congé de cet homme et je ne l'ai jamais rappelé. Il vivait dans un monde du passé, au temps des missions coloniales, où les confessions occidentales pouvaient exporter et vendre leurs doctrines et programmes aux Églises émergentes de l'Asie.

Le corps de Christ en Asie est redevable aux merveilleux missionnaires des XIXe et XXe siècles. Ils nous ont annoncé l'Évangile et ont implanté des Églises. Toutefois, il est temps maintenant que l'Église ne soit plus soumise à la domination occidentale.

Le message que j'adresse aux Occidentaux est simple : Dieu appelle les chrétiens du monde entier à reconnaître qu'il bâtit actuellement son Église en Asie. Votre soutien est nécessaire pour aider les missionnaires natifs auxquels Dieu demande d'étendre son Église, mais non pour imposer votre autorité et vos enseignements aux Églises orientales.

Gospel for Asia a eu d'autres épreuves à surmonter. La plus grande est sans doute venue d'un autre groupe que nous ne nommerons pas. Cette fois-ci, il s'agit du don le plus important qui nous ait été offert.

Notre amitié et notre amour pour les membres de ce groupe s'étaient développés depuis quelques années. Nous avons vu Dieu faire naître dans le cœur de ces personnes un grand désir de voir prêcher l'Évangile du Seigneur Jésus comme un signe de la toute-puissance de Dieu dans le monde entier. Dieu les a appelés à aider à équiper les pasteurs et évangélistes asiatiques, et ils ont fourni un apport financier dans quelques projets de Gospel for Asia au cours des dernières années.

Un jour, j'ai croisé, apparemment par hasard, une délégation de quatre membres de ce groupe en Inde. Ils avaient rencontré quelques-uns de nos missionnaires natifs, et je voyais bien qu'ils étaient profondément touchés par la vie des évangélistes indiens. À mon retour chez moi, des lettres de remerciement m'attendaient, et deux de ces hommes offraient de soutenir un missionnaire. Ce geste m'a surpris parce que ces mêmes hommes votaient également pour nous octroyer des fonds pour d'autres projets. Cela m'a convaincu qu'ils croyaient vraiment à l'œuvre des frères asiatiques, du moins, ils y croyaient suffisamment pour faire plus que ce qu'exigeait leur devoir d'administrateur et s'engager personnellement.

Vous pouvez donc vous imaginer comme j'ai crié et dansé dans mon bureau lorsque j'ai reçu un appel téléphonique du président du conseil d'administration deux semaines plus tard. Il m'a dit que le groupe avait décidé de nous allouer une part considérable de leur budget missionnaire! J'avais de la difficulté à imaginer un aussi grand cadeau. Quand j'ai raccroché le téléphone, les employés du bureau pensaient que j'étais devenu fou. Nous avions tellement besoin de cet argent! À vrai dire, j'avais déjà tout dépensé dans mon esprit. Pour commencer, j'ai pensé qu'une partie pourrait servir à construire une école de formation intensive pour les nouveaux missionnaires.

C'est sans doute pour cela que ce qui s'est passé par la suite m'a vraiment secoué. Les membres du conseil discutaient entre eux du projet, et ils ont commencé à se poser des questions quant à la gestion et la responsabilité du projet. Ils m'ont téléphoné pour me dire que leur conseil d'administration n'accepterait de soutenir le projet qu'à la condition que l'un d'eux fasse partie du conseil de l'établissement en Inde. Après tout, disaient-ils, une somme aussi importante ne pouvait être attribuée « sans conditions ».

Prenant une grande respiration et implorant l'aide du Seigneur, j'ai tenté d'expliquer la politique de Gospel for Asia.

« Nos dirigeants à l'étranger jeûnent et prient chaque fois qu'ils ont à prendre une décision, leur ai-je précisé. Nous n'avons pas besoin de faire partie de leur conseil pour protéger nos investissements. De toute manière, l'argent ne nous appartient pas, c'est l'argent de Dieu. Il est plus grand que Gospel for Asia ou votre organisation. Laissons Dieu protéger ses propres intérêts. Les frères en Asie n'ont pas besoin de nous pour dicter leur conduite. Jésus est leur Seigneur, et il saura bien les guider quant à la façon d'administrer ce don. »

Il y a eu un long silence à l'autre bout du fil.

Puis, le directeur a fini par dire : « Je suis désolé, frère K. P., je ne pense pas pouvoir vendre cette idée à notre conseil d'administration. Ils veulent savoir ce qu'on fera de cet argent. Comment cela est-il possible si aucun d'eux n'est membre du conseil? Soyez raisonnable. Vous nous rendez la tâche difficile pour vous aider. C'est une procédure normale pour un don d'une telle valeur. »

Les pensées se bousculaient dans ma tête. Une petite voix me disait : « Accepte. Tout ce qu'ils veulent, c'est un bout de papier. N'en fais pas tout un plat. Après tout, il s'agit du don le plus important que vous ayez jamais reçu. Personne ne donne autant d'argent sans exiger des comptes. Cesse de faire l'idiot. »

Mais je savais que je ne pouvais accepter une telle proposition. Je ne pouvais pas faire face aux frères et leur dire que, pour avoir droit à cet argent, je devais leur envoyer un Américain pour superviser leurs dépenses.

Je leur ai donc dit : « Non, nous ne pouvons accepter votre argent si pour cela, nous devons compromettre la pureté de notre ministère. Les membres du conseil d'administration des missions asiatiques sont tous des hommes de Dieu dignes de confiance et très responsables, et ils nous rendent suffisamment de comptes. Plus tard, vous pourrez voir le bâtiment vous-même lorsque vous irez en Asie. Je ne peux pas compromettre l'autonomie de l'œuvre en exigeant qu'un Américain fasse partie du conseil local.

« Vous suggérez en somme de "retenir l'arche" comme l'a fait Uzza dans l'Ancien Testament. Dieu a frappé cet homme pour avoir voulu prendre la situation en main à sa place. Quand le Saint-Esprit est à l'œuvre, nous devenons impatients parce que nous voulons tout diriger. C'est une faiblesse inhérente de la chair. En fin de compte, vous nous offrez cet argent avec des conditions, dans le seul but de prendre la direction du ministère en Asie. Vous devez apprendre à lâcher prise de votre argent, parce ce n'est pas votre argent, c'est celui de Dieu. »

Ensuite, alors que mon cœur battait la chamade, je lui ai présenté un dernier argument en espérant conserver leur don, mais prêt à tout perdre si je n'arrivais pas à convaincre ces hommes.

« Mon frère, ai-je dit doucement, chaque mois, je signe et envoie aux missions asiatiques des chèques qui s'élèvent à des centaines de milliers de dollars. Souvent, lorsque je tiens ces gros chèques dans ma main, je prie : "Seigneur, ceci est ton argent. Je ne suis que le serviteur qui l'envoie là où tu m'as dit qu'il doit aller. Aide les dirigeants en Asie à utiliser cet argent pour gagner des millions d'âmes perdues afin que le nom de Jésus soit glorifié". La seule chose dont nous devons nous soucier, c'est de faire notre part. J'obéis à la direction du Saint-Esprit dans la gestion de l'argent du Seigneur. Ne me demandez pas d'exiger que les frères en Asie fassent quelque chose que je ne ferais pas. »

Je n'avais plus rien à dire, alors, j'ai cessé de parler.

La voix à l'autre bout de la ligne a donc répété : « Eh bien, nous voulons vraiment vous aider. Je vais présenter vos arguments, mais vous ne me facilitez pas la tâche. »

« J'en suis certain, ai-je dit avec conviction, d'autres organisations accepteraient probablement vos conditions. Tout ce que je sais, c'est que nous ne pouvons pas le faire. La coopération évangélique est une chose, mais la supervision externe ne respecte pas les normes bibliques et finit par faire plus de tort que de bien. »

Je parlais avec conviction, mais au-dedans de moi, j'étais certain que nous avions tout perdu. Il ne restait plus qu'à dire au revoir.

Deux semaines sont passées, et nous n'avions toujours pas eu de nouvelles. Chaque jour, je priais pour que Dieu éclaire le conseil d'administration. Nos proches, ceux qui étaient au courant de l'offre, ne cessaient de me demander s'il y avait du nouveau. Tout le monde au bureau priait.

« Nous avons emprunté le chemin étroit, ai-je dit bravement au personnel, faisant ce que Dieu nous a dit de faire. » Au fond de moi, je souhaitais que cette fois, Dieu me permette de faire une petite entorse au règlement.

Mais notre fidélité a été récompensée. Un jour, le directeur de l'organisation m'a retéléphoné. Le conseil s'était réuni la veille et il avait présenté ma position.

Le sourire dans la voix, il m'a dit : « Frère K. P., nous nous sommes réunis et avons discuté très sérieusement de ce projet. J'ai mentionné le besoin d'autonomie des frères asiatiques et le conseil a voté à l'unanimité pour vous laisser avancer dans le projet sans supervision. »

Vous ne connaîtrez peut-être pas toujours une fin aussi heureuse chaque fois que vous déciderez de prendre position pour ce qui est juste, mais peu importe. Dieu nous a appelés à demeurer ici en Occident, afin d'encourager les gens fortunés de ce monde à partager avec les plus nécessiteux.

Dieu appelle les chrétiens occidentaux à reconnaître qu'il est en train de bâtir son Église de manière à ce qu'elle soit un instrument de compassion, de partage et de salut pour les âmes perdues. Il utilise bon nombre d'Occidentaux qui ont un cœur débordant d'amour pour les perdus pour prendre part à son nouveau mouvement en soutenant financièrement les leaders de missions asiatiques qu'il a appelés pour la diriger.

Dieu appelle le corps de Christ, qui vit dans l'abondance en Occident, à laisser tomber l'attitude fière et arrogante de « notre façon de faire est la seule » et à partager avec ceux qui vont mourir dans le péché, à moins que les nations qui sont plus en moyens leur envoient de l'aide. L'Occident doit partager avec l'Orient, sachant que Jésus a dit : « Je vous le dis en vérité, toutes les fois que vous avez fait ces choses à l'un de ces plus petits de mes frères, c'est à moi que vous les avez faites »

(Matthieu 25.40).

Les missionnaires asiatiques ont-ils fait des erreurs? Oui. Et ce serait faire preuve de mauvaise gestion que de donner notre argent librement, sans savoir si un ministère est digne de confiance et intègre. Mais cela ne veut pas dire que nous ne devons pas aider ces missionnaires.

L'Église occidentale est à la croisée des chemins. Nous pouvons choisir d'endurcir notre cœur aux besoins du tiers monde et demeurer dans l'arrogance, l'orgueil et l'égoïsme, ou nous repentir et aller de l'avant avec l'Esprit de Dieu. Quel que soit le chemin que nous déciderons de suivre, les lois de Dieu existeront toujours. Si nous fermons notre cœur aux gens qui meurent et vont en enfer, nous nous exposons au jugement de Dieu et à la perte certaine de notre abondance. Par contre, si nous ouvrons notre cœur et partageons avec eux, ce sera le début de nouvelles bénédictions et d'un renouveau.

Voilà pourquoi je crois que la réponse des croyants d'Occident est cruciale. Le cri de mon cœur est bien plus qu'une question missionnaire qui peut être ignorée comme une quelconque lettre de sollicitation ou une invitation à un banquet. Se soucier des besoins du monde perdu est directement lié à la croyance spirituelle et au bien-être de chaque croyant. Pendant ce temps, les frères inconnus en Asie continuent d'élever leurs mains vers Dieu dans la prière, lui demandant de combler leurs besoins. Ils sont des hommes et des femmes de haut calibre, qu'on ne peut acheter. Plusieurs ont développé une dévotion à Dieu, qui les a rendus hostiles à l'idée de devenir les serviteurs des hommes et des établissements religieux pour le profit.

Ils sont les véritables frères de Christ dont la Bible parle; ceux qui vont de village en village, sont roués de coups et persécutés lorsqu'ils présentent Christ aux millions d'âmes perdues qui n'ont pas encore entendu la Bonne Nouvelle de son amour.

Ils n'ont pas peur des hommes, et sont prêts à vivre comme

leur Seigneur a vécu, dormant en bordure des routes, étant privés de nourriture et mourant même, pour avoir partagé leur foi. Ils sortent même si on leur dit qu'il ne reste plus de fonds pour la mission. Ils sont déterminés à prêcher, même s'ils savent qu'ils auront à souffrir pour cela. Pourquoi? Parce qu'ils aiment les âmes qui meurent sans Christ. Ils sont trop occupés à faire la volonté de Dieu pour s'embarrasser de politiques ecclésiastiques, de réunions du conseil d'administration, de campagnes de financement et des efforts de relations publiques.

C'est le grand privilège des chrétiens riches de l'Occident, de participer à leur ministère, en envoyant une aide financière. Si nous ne les aimons pas assez pour les soutenir, si nous n'obéissons pas à l'amour de Christ en leur expédiant de l'argent, soyons conscients que nous serons en partie responsables vis-à-vis de ceux qui séjourneront dans les flammes éternelles sans avoir eu l'occasion d'entendre parler de l'amour de Dieu. Si les évangélistes natifs ne peuvent pas aller vers ces gens, parce que personne ne veut les envoyer, il faut blâmer le corps de Christ, ici, qui a les moyens de les aider. Et si cet argent n'est pas donné au Seigneur, il disparaîtra bientôt. Si l'Église occidentale n'éclaire pas le monde de sa lumière, le Seigneur lui enlèvera son chandelier.

Nous pourrions faire semblant que ceux qui sont pauvres et perdus n'existent pas, mais détourner nos yeux de la vérité ne fera pas disparaître notre culpabilité. Gospel for Asia existe pour rappeler aux chrétiens fortunés qu'il y a un monde de gens affamés, nécessiteux et perdus que Jésus aime et pour qui il est mort. Vous joindrez-vous à nous pour œuvrer auprès d'eux?

Vingt-deux

N'oublions pas les âmes perdues de l'Asie

Beaucoup d'Occidentaux ayant le souci des missions ont grandi en entendant cette phrase classique : « Envoyez des Américains » (ou des Britanniques, des Canadiens, des Australiens, des Néo-Zélandais, etc.). Jamais personne ne leur a demandé de considérer d'autres options mieux adaptées aux nouvelles conditions géopolitiques. Certains n'aiment pas trop m'entendre dire que les histoires racontées par les missionnaires occidentaux concernant les difficultés qu'ils ont connues dans leur ministère infructueux sont la preuve que leurs méthodes sont dépassées et inadéquates.

Mais le plus gros obstacle pour la plupart des Occidentaux est l'idée que quelqu'un venant d'ailleurs puisse faire mieux qu'eux. Les questions concernant nos méthodes et les garanties de responsabilité financière, bien que sincères et bien intentionnées, émanent parfois d'un profond sentiment de méfiance et de préjugés.

Au cours d'un de mes voyages sur la côte Ouest, on m'a demandé d'assister à une réunion du comité missionnaire d'une Église qui soutenait 75 missionnaires américains. Après avoir partagé ma vision concernant les missionnaires natifs, le président du comité a dit : « On nous a déjà demandé de soutenir des missionnaires indigènes, mais nous n'avons pas encore trouvé de manière satisfaisante pour que ces missionnaires rendent compte de ce qu'ils font avec l'argent que nous leur envoyons et du travail qu'ils effectuent. » Je sentais que cet homme parlait pour tous les membres du comité.

J'étais impatient de lui répondre. La question de responsabilité est l'objection que l'on soulève le plus souvent lorsque le sujet du soutien des missionnaires natifs du tiers monde est abordé, et je comprends cela. En effet, je suis d'avis qu'il est extrêmement important qu'il y ait suffisamment de vérifications dans toutes les branches du ministère. Une bonne administration l'exige.

J'ai donc expliqué de quelle manière nous traitons le sujet.

« Pour s'assurer que les gens puissent bien rendre des comptes, il faut établir des normes par lesquelles on évaluera leurs performances ai-je expliqué. Mais quels critères devons-nous utiliser? Le rapport de vérification des comptes que les missionnaires nous soumettent annuellement est-il suffisant pour évaluer s'ils ont fait bon usage de l'argent que nous leur avons envoyé? »

Et puis, j'ai soulevé d'autres questions : « Et qu'en est-il des églises qu'ils bâtissent et des autres projets qu'ils ont entrepris? Devraient-ils être jugés selon les modèles et les buts prescrits par un siège social ou une confession religieuse? Et qu'en est-il des âmes qu'ils ont gagnées et des disciples qu'ils ont formés? Existe-t-il une confession qui possède des critères pour les juger sur ces points? Existe-t-il des normes pour évaluer leur style de vie sur le terrain ou les fruits qu'ils produisent? Dans laquelle de ces catégories ces missionnaires devraient-ils être tenus responsables? »

Ceux qui étaient auparavant installés bien confortablement sur leur chaise étaient maintenant penchés vers l'avant. Je venais d'aborder un sujet qu'ils n'avaient encore jamais considéré. J'ai repris :

« Exigez-vous des missionnaires américains que vous envoyez outre-mer de vous rendre des comptes? Quels sont les critères auxquels vous vous êtes référés dans le passé pour vous assurer d'un bon usage des centaines de milliers de dollars investis qui servent encore à soutenir ces missionnaires aujourd'hui? »

J'ai regardé le président, dans l'attente d'une réponse. Il a prononcé quelques phrases maladroites avant d'admettre qu'il ne leur était jamais venu à l'idée d'obliger les Américains à rendre compte de leurs dépenses; ils ne s'en étaient jamais souciés.

« Le problème, ai-je expliqué, n'en est pas un de responsabilité, mais bien de préjugés, de méfiance et de sentiments de supériorité. Ce sont ces questions qui font obstacle à l'amour et au soutien de nos frères au tiers monde qui œuvrent pour gagner les leurs à Christ. » Puis, j'ai enchaîné avec cette illustration :

« Il y a trois mois de cela, je suis allé en Asie pour rendre visite à quelques frères que nous aidons financièrement. Dans un pays, j'ai rencontré un missionnaire américain qui, durant quatorze ans, avait travaillé à élaborer des programmes sociaux pour sa confession. Il était venu dans ce pays avec l'espoir d'y établir son centre missionnaire et il y est parvenu. Lorsque je suis entré dans l'enceinte de son complexe missionnaire, j'ai croisé un homme armé d'un fusil, assis à l'entrée du portail. Le complexe était entouré de plusieurs bâtiments et d'au moins cinq ou six voitures importées. Le personnel portait des vêtements occidentaux et une servante s'occupait d'un enfant des missionnaires. La scène me rappelait un roi vivant dans un palais entouré de domestiques qui se chargent de ses moindres besoins. Au cours de mes 18 années de voyages, j'ai vu cette scène à maintes reprises.

« Dans mes conversations avec quelques missionnaires asiatiques, j'ai appris que ce missionnaire et ses collègues vivaient en effet comme des rois avec leurs serviteurs et leurs voitures. Ils n'avaient aucun contact avec les pauvres habitants des villages avoisinants. L'argent de Dieu est investi dans des missionnaires comme eux, qui jouissent d'un style de vie dont ils ne pourraient pas bénéficier aux États-Unis, c'est-à-dire une vie d'homme riche, séparé par l'économie et la distance des missionnaires natifs marchant pieds nus, vêtus pauvrement, même selon leurs propres critères, et parfois privés de nourriture pendant plusieurs jours. Ces aborigènes sont, à mon avis, les véritables soldats de la croix. Chacun de ces frères que nous soutenons a établi une Église en moins de douze mois, et d'autres en ont fondées plus de vingt en trois ans. »

J'ai relaté un autre incident qui s'est produit dans mon pays natal de l'Inde. Bien que l'Inde soit fermée aux nouveaux missionnaires, quelques missionnaires occidentaux y vivent déjà depuis un bon moment, et certaines confessions religieuses réussissent encore à faire entrer de nouveaux professionnels, tels que des médecins et des enseignants. Je suis allé dans un hôpital où travaillent quelques-uns de ces médecins missionnaires et leurs collègues.

Ils vivaient tous dans des « châteaux miniatures » richement meublés. L'un d'eux avait douze serviteurs au service de sa famille; un s'occupait du jardin, un autre de la voiture, un autre prenait soin des enfants, deux faisaient la cuisine, un s'occupait des vêtements de la famille, et ainsi de suite. De plus, en huit ans, ce missionnaire n'avait gagné aucune âme à Christ ni établi une seule Église.

« Quels critères, ai-je osé demander, ont servi de référence à ces deux confessions pour évaluer ces hommes et leur demander de rendre des comptes?

« Dans une autre ville, il y a un hôpital dont la construction a coûté des millions de dollars et encore des millions ont été versés pour payer les Américains et les Européens qui y travaillent. En 75 ans, pas une seule Église de type néotestamentaire n'y a été implantée. Quelqu'un a-t-il seulement demandé qu'on justifie de telles dépenses infructueuses?

« Ces histoires ne sont pas des cas isolés, ai-je assuré à mon auditoire. Durant mes 18 années de voyages en Asie, je n'ai cessé de rencontrer des missionnaires qui vivent nettement au-dessus des moyens du peuple parmi lequel ils œuvrent. Les indigènes qui travaillent avec eux sont traités comme des serviteurs et vivent dans la pauvreté, tandis que ces missionnaires vivent dans le luxe. »

J'ai comparé ces exemples à ce que font les natifs.

« Vous vous souvenez de l'illustration d'un hôpital de plusieurs millions de dollars et de l'absence d'églises? Eh bien, il y a quatre ans, nous avons commencé à aider un missionnaire natif et ses 30 camarades de travail qui ont instauré une mission à quelques kilomètres seulement de cet hôpital. Aujourd'hui, 349 personnes travaillent avec lui et des centaines d'Églises ont été fondées. Un autre missionnaire, un de ses collègues, a implanté plus de trente Églises en trois ans. Où vivent ces frères? Dans de minuscules huttes, tout comme les personnes parmi lesquelles ils œuvrent. Je pourrais vous relater des centaines d'histoires illustrant le fruit que produisent de telles personnes dévouées. C'est comme si l'on rédigeait le livre des Actes une seconde fois.

« Vous voudriez que les missionnaires natifs vous rendent des comptes pour l'argent que vous leur donnez? Souvenez-vous que Jésus a dit : "Car Jean est venu, ne mangeant ni ne buvant, et ils disent : 'Il a un démon.' Le Fils de l'homme est venu, mangeant et buvant, et ils disent : 'C'est un mangeur et un buveur, un ami des publicains et des gens de mauvaise vie.' Mais la sagesse a été justifiée par ses œuvres" (Matthieu 11.18-19).

« Les fruits, leur ai-je fait remarquer, constituent la véritable base d'évaluation. Jésus a dit : "C'est donc à leurs fruits que vous les reconnaîtrez" (Matthieu 7.20). Paul a dit à Timothée de faire deux choses de sa vie, qui, à mon avis, sont des critères d'évaluation bibliques. Il lui a dit de faire attention à sa manière de vivre et de bien s'occuper du ministère qui lui avait été confié. La vie du missionnaire constitue le véhicule de son message. »

Trois heures s'étaient écoulées sans qu'on entende un son dans la pièce. Je sentais qu'ils m'autorisaient à continuer.

« Vous m'avez demandé comment faire pour que nos missionnaires vous rendent des comptes. Mis à part tout ce que je viens de vous dire, Gospel for Asia a en effet des marches à suivre bien précises pour assurer que nous administrions bien l'argent et les occasions qui nous sont confiés par le Seigneur. Mais nos exigences reflètent une perspective et une façon de diriger la mission bien différentes des vôtres.

« Premièrement, Gospel for Asia croit que ceux que le Seigneur appelle doivent le servir et non se faire servir. Nous menons, parmi les pauvres et les démunis d'Asie, une vie ouverte et exemplaire. Que nous respirions, dormions ou mangions, nous sommes conscients des millions de perdus que le Seigneur nous ordonne d'aimer et de secourir. »

Après cela, j'ai expliqué de quelle manière Dieu offre l'espérance aux perdus, non pas par des programmes, mais par des personnes qui lui sont dévouées et qu'il utilise comme des vaisseaux pour oindre le monde. « Nous accordons donc la plus grande importance à la manière dont les missionnaires et leurs dirigeants vivent. Il y quatre ans de cela, nous avons commencé à soutenir un frère qui vivait avec sa famille dans une petite maison de deux pièces. Sa femme et lui, ainsi que leurs quatre enfants, dormaient sur un petit tapis sur le plancher de béton.

« Récemment, au cours d'une visite en Inde, j'ai vu qu'il vit au même endroit, qu'il dort sur le même tapis, bien que son équipe soit passée de 30 à 349 ouvriers. Il gère des centaines de milliers de dollars pour maintenir son ministère, et pourtant, il n'a rien changé à son style de vie. Les frères qu'il a attirés dans le ministère sont prêts à mourir pour Christ parce qu'ils ont vu leur leader se donner entièrement à lui de la même manière que l'apôtre Paul l'avait fait.

« En Occident, les gens admirent les hommes riches et puissants. En Asie, mon peuple recherche des hommes comme Gandhi qui, afin d'en inspirer d'autres à l'imiter, a tout abandonné pour vivre comme le plus pauvre des pauvres. L'obligation de rendre des comptes commence par la vie du missionnaire.

« Le second critère que nous prenons en considération est le fruit que produit cette vie. Notre investissement se convertit en vies transformées et en églises fondées. Que pourrions-nous espérer de mieux?

« Quand un missionnaire occidental va œuvrer dans les pays du tiers monde, il trouve habituellement des indigènes pour le suivre. Mais trop souvent, ces derniers se font prendre dans le jeu des caractéristiques confessionnelles. On attire ceux qui nous ressemblent. Les dirigeants de missions qui vont dans d'autres pays et s'installent dans des hôtels cinq étoiles attirent de soi-disant leaders natifs qui sont comme eux. Dans ces cas, malheureusement, ce sont les soi-disant leaders natifs que l'on accuse d'avoir gaspillé et mal utilisé d'importantes sommes d'argent, alors qu'ils n'ont fait que suivre l'exemple de leurs homologues occidentaux. »

Une fois de plus, je me suis adressé au président : « Avez-vous examiné la vie des missionnaires américains et les ministères que vous soutenez? Je crois que vous vous rendriez compte que très peu d'entre eux prêchent réellement la Bonne Nouvelle de Christ, mais participent plutôt à une sorte de programme social. Si vous appliquiez les principes bibliques que j'ai mentionnés, je doute que vous n'en soutiendriez plus qu'une poignée d'entre eux. »

Puis, me tournant vers le comité, je leur ai suggéré de s'évaluer eux-mêmes.

« Si vous n'êtes pas totalement consacrés à Christ, vous n'êtes pas qualifiés pour faire partie de ce comité. Cela veut dire que vous ne pouvez utiliser votre temps, vos talents et votre argent comme bon vous semble. Si vous le faites en pensant que vous pouvez toujours aider à diriger le peuple de Dieu à évangéliser le monde perdu, vous trompez Dieu. Vous devez évaluer chaque dollar que vous dépensez et toutes autres choses que vous faites à la lumière de l'éternité. Votre façon de vivre, à vous tous, est là où nous commençons notre croisade pour rejoindre les gens perdus de ce monde. »

J'ai eu le plaisir de constater que le Seigneur parlait à beaucoup d'entre eux. Il y avait des larmes et un sentiment de la présence de Christ parmi nous. Cela n'a pas été facile de leur parler ainsi et j'étais heureux que tout soit fini. Mais il fallait que je sois fidèle à l'appel de Dieu sur ma vie pour partager la vision des âmes perdues de l'Asie aux frères et sœurs chrétiens de l'Occident qui ont le pouvoir d'aider.

Conclusion

On dit que Bihar, un État dans le nord de l'Inde, est le cimetière des missionnaires. Je n'oublierai jamais l'été que j'y ai passé à faire de l'évangélisation en équipes. On nous a chassés de certains villages et lapidés pour avoir prêché l'Évangile. C'était en 1968.

L'État du Bihar, constitué de villages primitifs et de 75 millions d'habitants, est reconnu comme l'un des endroits les moins évangélisés de la terre. Gospel for Asia possède une école biblique au Bihar, pour former et envoyer des missionnaires dans cette région aux grands besoins spirituels.

Un des jeunes frères qui a étudié dans cette école s'appelle Simon. Dans toutes nos écoles, nous encourageons nos élèves à prier que Dieu leur montre où il veut les envoyer à la fin de leurs études. Quant à Simon, il priait que le Seigneur le dirige vers un endroit où il pourrait évangéliser les perdus et fonder au moins une Église locale. Le Seigneur a mis dans son cœur un fardeau pour un certain peuple dans l'État du Bihar. À la fin de ses études, Simon a été envoyé pour servir dans cette région et apporter la Bonne Nouvelle à ceux pour qui il avait prié.

Après trois ans, il avait déjà implanté cinq Églises! Tout a commencé par la conversion d'une dame nommée Manjula.

Au fil des ans, Manjula avait acquis la réputation d'être une femme sainte. Elle avait de nombreux disciples qui venaient lui demander conseil. Ils lui apportaient des présents et des sacrifices parce qu'elle était réputée pour ses pouvoirs spirituels. Apparemment, elle avait opéré de nombreux miracles et possédait le pouvoir de causer la maladie et la mort.

Lorsque Simon est arrivé dans le village, les villageois lui ont parlé de Manjula, de la femme puissante qu'elle était, des grands pouvoirs magiques qu'elle possédait et des dieux qu'elle servait. Par la suite, Simon a appris que Manjula était tombée malade trois ans auparavant et qu'elle était restée paralysée depuis le cou jusqu'aux pieds. Le jeune homme a reconnu que Dieu lui présentait là une occasion d'aller prêcher l'Évangile à cette femme.

Même au risque de sa vie, Simon a décidé d'aller rendre visite à Manjula et de lui parler du Seigneur Jésus-Christ. Ce n'est qu'après s'être mis en route qu'il a appris autre chose sur cette femme. Depuis des semaines, des prières et des sacrifices rituels avaient été offerts pour la guérison de cette femme. Des centaines de ses disciples suivaient ses instructions à la lettre pour présenter sa requête auprès de ses dieux préférés, mais rien n'avait réussi à la guérir. Reconnaissant son impuissance devant les mauvais esprits qui s'attaquaient à elle, Manjula a demandé à des sorciers encore plus puissants de pratiquer des rituels compliqués afin qu'elle soit guérie. Une fois de plus, sa condition était demeurée inchangée et elle avait perdu tout espoir.

C'est alors que Simon est arrivé dans son village. Dès son arrivée chez la dame, il a commencé à lui parler de Jésus-Christ. Elle l'a écouté attentivement avant de lui dire : « Depuis trois ans, j'ai tout essayé pour apaiser ces dieux de colère. Mais ils ne me répondent pas. Je n'y comprends vraiment plus rien et j'ai terriblement peur. »

Alors, Simon a demandé à Manjula : « Si Jésus vous guérissait, que feriez-vous? » Sans hésiter, la femme a répondu : « Si votre Jésus-Christ peut me guérir et me rendre la santé, je le servirai le reste de ma vie. » Simon a poursuivi, en lui expliquant que Dieu l'aimait et que Jésus-Christ, l'unique Sauveur, pouvait la libérer du péché et de la damnation éternelle.

Dieu, dans sa grâce, a ouvert les yeux de Manjula pour lui permettre de voir la vérité. Elle a demandé à Jésus-Christ de lui pardonner ses péchés et de la sauver. Simon s'est agenouillé à côté de son lit et a prié Jésus de la guérir. En même temps qu'il priait à haute voix, dans son cœur il priait : « Seigneur Jésus, ceci pourrait être la seule occasion de voir tout ce village se tourner vers toi. Je t'en prie, Seigneur, pour la gloire de ton royaume, touche cette femme et guéris-la. Ta Parole dit que tu seras avec moi, confirmant ta Parole, et que tu feras des miracles pour que ces gens croient en toi. »

Dès que le frère Simon a eu fini de prier pour Manjula, la puissance du Saint-Esprit et la grâce de Dieu l'ont touchée et elle a été délivrée et guérie sur-le-champ. À peine quelques heures plus tard, elle courait partout, poussant de grands cris de joie : « Merci Jésus! Merci Jésus! Merci Jésus! »

Ses cris ont attiré une foule de curieux devant la maison de Manjula. Cette femme qui avait été paralysée pendant trois ans était maintenant complètement guérie. Les larmes coulaient sur ses joues pendant qu'elle proclamait haut et fort le nom de Jésus et le louait. Manjula est devenue la première personne du village à croire en Jésus.

La semaine suivante, une vingtaine de personnes ont donné leur vie à Christ et ont été baptisées. Manjula a ouvert sa maison aux nouveaux croyants afin qu'ils puissent s'y assembler et louer le Seigneur. Tout comme dans Actes 19, aux débuts de l'Église d'Éphèse, toutes les pratiques et tous les rituels diaboliques ont définitivement cessé, et le village a connu un nouveau départ.

Après cela, Simon est allé prêcher l'Évangile dans les villages avoisinants, et de nombreuses autres personnes ont commencé à suivre le Seigneur Jésus-Christ.

Quand ils ont entendu parler de ces évènements, nos leaders du centre de formation ont demandé à Simon s'il accepterait d'aller aider les missionnaires dans les régions voisines à établir des Églises. Simon a commencé à voyager et, grâce à son ministère, quatre nouvelles Églises ont été implantées et de nouvelles stations missionnaires ont été établies.

Un jour, en parlant avec le supérieur de Simon je lui ai demandé : « Quel est le secret du succès du ministère de Simon? Pourquoi est-ce que le Seigneur l'utilise aussi puissamment? » L'homme a répondu : « Son cas n'a rien d'exceptionnel. Beaucoup de frères missionnaires obtiennent des résultats semblables. C'est le temps de la moisson. »

Puis, il m'a parlé de la vie de Simon. Pendant qu'il était aux études dans notre collège biblique, il avait pris l'habitude de se lever tôt chaque matin et de passer au moins trois heures à genoux avec le Seigneur, dans la prière et la méditation de la Parole de Dieu. Quand Simon est parti œuvrer sur le terrain à la fin de ses études, il n'a rien changé à ses habitudes. Au contraire, il priait encore plus longtemps. Simon ne parle pas ouvertement de ces choses. Il s'occupe plutôt de prêcher humblement l'Évangile. Et grâce à lui, des centaines de personnes se tournent vers Christ.

Aujourd'hui, en Inde seulement, des centaines de milliers de villages sont encore sans témoins pour Christ. Ajoutez à ce nombre des pays comme le Bhoutan, le Myanmar, le Népal, le sous-continent indien au grand complet, où des millions et des millions de personnes attendent que quelqu'un comme Simon leur apporte la lumière de l'Évangile.

Dans Romains 10.13-17, il est écrit que, si ces millions de personnes attendant dans la noirceur invoquent le nom du Seigneur Jésus-Christ, elles seront sauvées. Mais comment peuvent-ils invoquer Christ s'ils ne croient pas en lui? Et comment peuvent-ils croire en lui si personne n'est jamais allé leur parler de lui? Finalement, la question à laquelle nous devons répondre est : « Comment une personne comme Simon, peut-elle aller vers eux si personne ne l'envoie? »

Aujourd'hui, Dieu nous appelle à envoyer des missionnaires qui attendent d'aller dans ces villages qui n'ont jamais entendu l'Évangile. Dieu nous offre le privilège d'unir nos vies à celles de frères comme Simon et de voir notre génération venir à la connaissance du Seigneur Jésus-Christ.

Je vous encourage à chercher la face du Seigneur, pour savoir s'il vous demande de soutenir un ou quelques missionnaires asiatiques. S'il vous le met à cœur, faites-nous part de votre décision. Nous vous enverrons une photographie et le témoignage du missionnaire qui bénéficiera de vos prières et votre aide financière.

Il en coûte généralement entre 120 et 360 dollars canadiens mensuellement pour subvenir à tous les besoins d'un missionnaire natif, mais pour la modique somme de 30 $ par mois, vous pourrez commencer à l'aider en l'envoyant dans un village éloigné qui a besoin d'entendre la Bonne Nouvelle. Par vos prières et votre soutien financier, vous pouvez l'aider à communiquer efficacement l'Évangile et à fonder des Églises locales.

Imaginez que vous soyez la personne qui a le privilège de soutenir Simon et de prier pour son ministère au Bihar. Un jour, vous pourriez vous tenir devant le trône avec Simon, sa famille et les milliers de personnes qui auront connu le Seigneur par le biais de sa vie et de son ministère!

Annexe un

Réponses aux questions

Un des moments les plus importants de nos réunions est la période où nous répondons aux questions de l'auditoire. Beaucoup de gens nous posent des questions réfléchies qui montrent qu'ils songent sérieusement aux conséquences du message qu'ils viennent d'entendre. Certaines questions portent sur notre politique et notre façon d'opérer dans les champs de mission. D'autres questions reviennent fréquemment, et voici mes réponses :

QUESTION : Quelles sont les qualités que doivent posséder les missionnaires que vous soutenez?

RÉSPONSE : Nous recherchons des personnes qui ont indéniablement reçu un appel pour aller évangéliser et implanter des Églises dans les régions les plus isolées. Ce n'est pas un emploi. Un simple employé abandonne tout dès que survient une difficulté. Nous sommes engagés à former et à envoyer seulement les hommes et les femmes qui ne recherchent que l'approbation et la gloire de Dieu, qui ne se laisseront pas acheter et ne chercheront pas leur propre intérêt, même dans l'œuvre du Seigneur.

Ils doivent également être des gens intègres et attachés à la Parole de Dieu et la saine doctrine, s'y soumettant en tout sans hésitation. Ils doivent maintenir un témoignage sans reproches, aussi bien dans leur marche avec le Seigneur qu'avec leur famille.

Nous recherchons des gens prêts à travailler dur pour évangéliser les perdus dans les champs de missions où ils sont installés et aux alentours. Chaque missionnaire est également le berger du troupeau que le Seigneur appelle. Il doit protéger les nouveaux croyants et les amener à une maturité en Christ, par l'enseignement de la Parole de Dieu et en les formant pour gagner les perdus dans ces régions.

Question : À qui les missionnaires asiatiques rendent-ils des comptes?

Résponse : Nous suivons plusieurs étapes pour nous assurer que notre système de suivi fonctionne le mieux possible. Dans chaque région, les missionnaires se rencontrent pendant quelques jours au moins une fois par mois pour jeûner, prier et partager ce qu'ils font pour bâtir le royaume dans leur partie du champ de mission. Dans tous les cas, les missionnaires natifs sont sous la supervision et la direction d'anciens natifs de la région. En retour, ces dirigeants de missions se réunissent très souvent avec d'autres leaders supérieurs. Ces derniers, qui supervisent les activités du ministère, sont des hommes intègres dont le témoignage, aussi bien dans leur vie privée que dans le ministère, est au-dessus de tout reproche depuis des années.

Question : Les rapports financiers des missions sont-ils vérifiés?

Résponse : Oui, les rapports financiers sont vérifiés par nos bureaux administratifs sur le terrain afin d'assurer que les fonds sont utilisés aux fins pour lesquelles ils ont été désignés. Les projets, tels que les croisades dans les villages, les formations et les programmes spéciaux nécessitent des rapports détaillés rédigés par écrit. Les fonds de soutien aux missionnaires sont reçus par le missionnaire participant et son supérieur, qui doivent signer des reçus qui sont ensuite vérifiés. Tous les rapports financiers des missions sont ensuite vérifiés par des comptables agréés indépendants à la fin de chaque année.

Question : Il semble que la fenêtre 10/40 soit devenue le centre d'attraction de la majorité des organisations missionnaires. Quelle est l'optique de Gospel for Asia pour évangéliser les peuples les plus isolés de la fenêtre 10/40?

Résponse : Quatre-vingt-dix-sept pour cent des habitants de la terre qui ne connaissent pas l'Évangile vivent dans cette soi-disant « région de résistance », mieux connue sous le nom de la fenêtre 10/40. Une recherche approfondie de ce territoire indique qu'il y a davantage de peuples qui n'ont pas entendu l'Évangile dans le nord de l'Inde que partout ailleurs sur la terre.

Gospel for Asia appuie des milliers de missionnaires natifs. Quoique nous travaillions depuis le début parmi les peuples les plus isolés de cette partie du monde, ce n'est qu'au cours des dernières années que nous avons commencé à perfectionner notre stratégie pour secourir ces peuples.

De nombreuses discussions ont eu lieu et des tonnes des renseignements ont été diffusés à propos de la fenêtre 10/40 et de ceux qui y vivent; plus de deux milliards d'habitants n'ont jamais entendu l'Évangile. Vers la fin du XXe siècle, un grand nombre de confessions et d'agences du monde entier ont développé des stratégies ambitieuses pour tenter d'accomplir la tâche de l'évangélisation mondiale avant l'an 2000.

Tout cela était très excitant, mais l'an 2000 est passé depuis quelques années déjà, et quels progrès avons-nous faits dans ce sens? En 2000, chaque habitant de la terre s'est vu offrir 155 occasions de devenir un disciple de Jésus-Christ. Malheureusement, 84 p. cent de ces invitations ont été lancées à des gens qui se disaient déjà chrétiens et 15,9 p. cent, à des gens qui avaient déjà été évangélisés, mais n'étaient pas chrétiens.

Seulement 0,16 p. cent ont été présentées à des personnes n'ayant jamais entendu la Bonne Nouvelle.[1] Dans ma langue maternelle, nous avons un ancien dicton qui dit : « L'image d'une vache dans un livre ne pourra jamais sortir manger de l'herbe. » L'année 2000 s'est écoulée rapidement. Quelque chose a-t-il changé? Oui… et non. Les stratégies ont grandement sensibilisé et motivé les gens à évangéliser ceux qui ne l'ont jamais été. Mais à ce jour, cette tâche d'évangélisation n'est toujours pas achevée et demeure difficile à accomplir. Il est temps de passer de l'information à la mise en application si nous voulons que ces gens aient l'occasion d'entendre l'Évangile.

Je crois de tout mon cœur qu'une autre année passera sans qu'il y ait de changement, à moins que nous ne renversions immédiatement ces chiffres. Pour ce faire, il faudra rediriger la majorité de nos ressources vers la fenêtre 10/40, unir nos efforts à d'autres organisations et susciter les Églises locales à soutenir et à encourager le mouvement des missionnaires indigènes.

C'est pour cela que le Seigneur a mis une vision dans nos cœurs, et nous devons croire qu'il arrivera à recruter et à former une armée de missionnaires natifs dévoués pour réaliser la Grande Mission dans les régions les plus isolées du monde.

QUESTION : De quelle façon les missionnaires nationaux sont-ils formés?

RÉSPONSE : Ils sont formés dans des collèges bibliques situés à divers endroits au cœur de la fenêtre 10/40. À la fin de leurs études, les élèves se rendent directement dans les régions les moins évangélisées de l'Asie pour y fonder des Églises.

Ces élèves suivent une formation intensive. Leur journée commence à cinq heures et la première heure est consacrée à la prière et la méditation de la Parole de Dieu. Le reste de la journée, qui se termine vers 23 heures, comprend des périodes d'enseignement et de formation pratique.

Chaque vendredi soir, ils jeûnent et prient durant deux heures. Les fins de semaine, les élèves vont évangéliser dans les villages voisins. Habituellement, au bout d'un an, ils auront établi des dizaines d'Églises maison et des stations missionnaires grâce à ces fins de semaine d'évangélisation. Avant de terminer leur formation de trois ans, les élèves doivent avoir lu la Bible en entier au moins trois fois.

Le premier vendredi soir de chaque mois, ils passent la nuit à prier, principalement pour les nations et les peuples les moins évangélisés. Pendant ces périodes de prière, ils sont saisis de compassion par la réalité du monde perdu. Tout au long de ces trois années passées au collège biblique, chaque élève a l'occasion de prier pour des dizaines de peuples qui n'ont jamais entendu la Bonne Nouvelle. Durant cette période, ils cherchent également à savoir où Dieu veut les envoyer en mission.

À travers la formation que nous donnons à ces élèves, notre priorité est de les aider à devenir davantage comme Christ dans leur caractère et leur nature. Ce que nous recherchons avant tout, c'est que chacun d'eux ait une relation intime avec Christ. Deuxièmement, nous leur enseignons la Parole de Dieu de manière à ce que, non seulement ils soient équipés pour faire de l'évangélisation, mais qu'ils soient également des pasteurs et des enseignants compétents dans les Églises qu'ils établiront. Ils doivent suivre un cours d'étude inductive de la Bible pour obtenir leur diplôme. Troisièmement, au cours de leurs trois années d'études, les élèves reçoivent beaucoup de formation pratique dans tous les aspects du ministère, tels que l'évangélisation individuelle, la mise sur pied d'une congrégation, et d'autres domaines de soins pastoraux, pour les aider à mieux réaliser l'œuvre du Seigneur.

QUESTION : Quelles techniques vos missionnaires utilisent-ils pour présenter l'Évangile?

RÉSPONSE : Quoique les films, la radio, la télévision et les vidéos soient de plus en plus utilisés en Asie, les méthodes qui sont encore les plus efficaces dans la majorité des cas semblent sorties tout droit du livre des Actes!

La meilleure forme d'évangélisation se fait face à face dans les rues. La plupart des missionnaires indigènes voyagent à pied ou à bicyclette entre les villages, un peu comme les méthodistes itinérants le faisaient, à dos de cheval, à l'époque des chercheurs d'or aux États-Unis.

La plupart du temps, la prédication et l'évangélisation se font dans les rues, avec des mégaphones. Parfois, les évangélistes organisent des défilés de témoignages et des campagnes d'évangélisation sous la tente et distribuent alors des tracts évangéliques pendant toute une semaine.

Puisque la majorité du milliard d'analphabètes présents dans le monde entier demeure en Asie, il faut souvent leur annoncer l'Évangile sans recourir à de la documentation écrite. On leur présente donc la Bonne Nouvelle au moyen du film sur la vie de Jésus, de cassettes audio, de tableaux imagés et d'autres moyens visuels de communication.

Les camions, jeeps, mégaphones, vélos, dépliants, livres, bannières et drapeaux sont tous des outils importants pour nos missionnaires. Il est facile de les utiliser et d'enseigner grâce à eux. Ils sont maintenant jumelés à des émissions radiophoniques et télévisées, des lecteurs de cassettes, et des projecteurs de films. On peut se procurer ces outils de communication à bas prix en Asie et les acheter localement exempts de droits d'importation. De plus, comme les Asiatiques connaissent bien ces outils, ils ne créent pas de choc culturel.

QUESTION : Vous mettez beaucoup d'accent sur le mouvement des missionnaires indigènes, mais croyez-vous qu'il y ait encore de la place pour les missionnaires occidentaux en Asie?

RÉSPONSE : Oui, les missionnaires occidentaux ont encore leur place. *Premièrement, certains pays n'ont pas d'Église d'où nous pourrions tirer des missionnaires natifs.* Le Maroc, l'Afghanistan et les Maldives, entre autres, me viennent à l'idée. Dans ces endroits, les missionnaires étrangers, d'Occident, d'Afrique ou d'Asie, sont un bon moyen de faire connaître l'Évangile.

Deuxièmement, les chrétiens occidentaux possèdent les connaissances techniques dont nos frères et sœurs du tiers monde pourraient avoir besoin. Le travail des traducteurs de Wycliffe Bible Translators est un bon exemple. Les efforts qu'ils mettent pour traduire dans les 6800 langues qui n'ont pas encore de Bible sont indispensables. Donc, quand les Églises du tiers monde invitent les Occidentaux à venir les aider, et que le Seigneur les accompagne, les Occidentaux devraient certainement répondre à l'appel.

Troisièmement, il y a des expériences missionnaires à court terme qui, à mon avis, sont extrêmement intéressantes. Des organisations comme Opération Mobilisation et Jeunesse en Mission ont un impact catalytique sur les Églises d'Asie autant que sur celles d'Occident. Ces ministères qui forment des disciples sont bénéfiques pour les participants occidentaux, tout aussi bien que pour les millions d'Asiatiques qui n'ont pas été évangélisés. J'ai personnellement été recruté par Opération Mobilisation pour aller dans le nord de l'Inde en 1966.

Par le moyen de contacts interculturels et interraciaux, de tels ministères sont surtout utiles en ce qu'ils permettent aux Occidentaux de mieux comprendre les vrais besoins du tiers monde.

Et bien sûr, il y a le simple fait que l'Esprit Saint appelle certaines personnes d'une culture à aller témoigner à une autre. Lorsqu'il nous lance un appel, nous devons y répondre.

QUESTION : Pourquoi les Églises asiatiques ne soutiennentelles pas leurs missionnaires au tiers monde?

RÉSPONSE : Elles le font. En fait, je crois que la majorité des chrétiens d'Asie donnent un plus grand pourcentage de leur revenu aux missions que les Occidentaux. Des dizaines de fois, je les ai vus donner des œufs, du riz, des mangues et des racines de tapioca parce qu'ils n'ont pas d'argent. La vérité est que la plupart des Églises d'Asie sont composées de personnes pauvres, qui n'ont presque jamais d'argent. Ces personnes constituent le quart de la population mondiale qui survit avec moins d'un dollar par jour.

Bien souvent, nous nous apercevons qu'un missionnaire qui a du succès sera pratiquement handicapé par la croissance rapide de son ministère. Lorsqu'un grand mouvement du Saint-Esprit se produit dans un village, ce missionnaire qui connaît le succès peut découvrir qu'il y a plusieurs « Timothée », partenaires doués et prêts à fonder des Églises sœurs. Par contre, cette croissance rapide devance presque toujours la capacité de la congrégation originale à pourvoir au soutien d'ouvriers additionnels. Il faut donc aller chercher de l'aide extérieure.

À mesure que l'Esprit de Dieu continue d'agir, de nombreux conseils missionnaires sont formés. Quelques-unes des sociétés missionnaires les plus importantes au monde se trouvent justement en Asie. Mais à la lumière du besoin, il nous faudra recruter des centaines de milliers de nouveaux missionnaires, qui requerront à leur tour plus d'aide extérieure.

Malheureusement, il y a des Églises indigènes qui ne soutiennent pas les missionnaires natifs, pour la même raison que certaines congrégations occidentales ne donnent pas : à cause du manque de vision et du péché dans la vie des pasteurs et des membres de la congrégation. Mais ce n'est pas une excuse pour que les chrétiens occidentaux restent inactifs et laissent s'envoler la grande occasion qui leur est présentée d'aider à gagner ce monde perdu pour Jésus.

Question : N'est-il pas possible que le soutien des missionnaires natifs produise un effet contraire à celui espéré et qu'ils dépendent entièrement des Occidentaux au lieu de se tourner vers leurs Églises locales?

Résponse : La vérité, bien sûr, est que ce n'est pas l'argent provenant de l'étranger qui affaiblit une Église en croissance, mais bien la domination extérieure. À vrai dire, l'argent qui parvient de l'Occident ne fait que libérer les évangélistes et leur permettre d'obéir à l'appel de Dieu.

Après avoir vécu des générations sous la domination des colonialistes occidentaux, la plupart des Asiatiques sont pleinement conscients du problème potentiel de la domination extérieure que posent les fonds étrangers. C'est un sujet qui revient souvent dans les discussions entre dirigeants de missions locales, et la plupart des conseils d'administration ont élaboré des politiques et des procédures pour rendre des comptes sans se laisser dominer par des étrangers.

Gospel for Asia a pris des mesures pour s'assurer que les fonds se rendent bien au missionnaire local d'une manière responsable, sans détruire l'autonomie si précieuse de sa région.

En premier lieu, notre processus de sélection et de formation est conçu de manière à favoriser les hommes et les femmes qui ont une bonne attitude au départ, et dépendent de Dieu au lieu des hommes pour leur soutien.

Ensuite, aucune supervision, directe ou indirecte, du ministère n'est faite par des donateurs occidentaux. Ces derniers donnent l'argent du Seigneur au missionnaire par l'intermédiaire de Gospel for Asia, et nous, à notre tour, le donnons aux dirigeants des missions locales qui gèrent les affaires financières sur le terrain. De cette manière, l'évangéliste indigène est deux fois plus dégagé de la source de financement. Cette façon de faire est également celle de nombreuses organisations qui recueillent des fonds en Occident pour le soutien des indigènes en Orient, et elle semble fonctionner à merveille.

Finalement, dès qu'une nouvelle station est établie, le missionnaire natif peut commencer à aller évangéliser les villages voisins. Les nouvelles congrégations qu'ils fondent seront un jour assez stables financièrement pour le soutenir entièrement tout en continuant de contribuer à l'évangélisation. Avec le temps, je crois que les Églises asiatiques seront capables de soutenir l'évangélisation en grande partie, mais actuellement, la tâche est trop grande pour qu'ils y arrivent sans l'aide des Occidentaux.

À mon avis, la façon la plus rapide d'aider les Églises asiatiques à devenir autosuffisantes est de soutenir financièrement le mouvement grandissant des missionnaires natifs. À mesure que de nouvelles Églises seront implantées, les bénédictions de l'Évangile abonderont et les nouveaux croyants d'Asie seront mieux capables de soutenir les efforts d'évangélisation. Ce genre de don est en fait un investissement dans l'œuvre de Dieu. La meilleure chose à faire pour favoriser l'indépendance de l'Église d'Asie est de soutenir le plus de missionnaires indigènes possible.

Question : Comment est-ce que Gospel for Asia arrive à soutenir un missionnaire asiatique pour aussi peu que 1500 $ à 5000 $ par année, alors que mon Église dit qu'il en coûte 50 000 $ par an pour subvenir aux besoins d'un missionnaire occidental?

Résponse : Il y a une énorme différence entre vivre au même niveau qu'un paysan asiatique, comme le font les missionnaires natifs, et adopter le régime de vie même modeste d'un Occidental. Dans la plupart des pays où nous soutenons des missionnaires natifs, ceux-ci peuvent survivre avec environ cinq dollars par jour. Dans la plupart des cas, c'est approximativement le salaire des personnes auxquelles ils annoncent la Parole de Dieu.

Un missionnaire occidental, en revanche, a des dépenses supplémentaires. Il y a le transport en avion, l'expédition de ses possessions sur le territoire missionnaire, les cours de langues, les écoles anglaises pour les enfants et un domicile de style américain. Le missionnaire natif, quant à lui, vit dans un village, à égalité avec les autres membres de la communauté qu'il cherche à gagner pour Christ.

Le missionnaire occidental fait également face aux coûts reliés à l'obtention d'un visa, à divers autres frais juridiques, à la communication outremer avec les donateurs, aux soins médicaux, aux droits d'importation en plus des impôts qu'il doit payer à son pays d'origine. Le coût de la nourriture peut être très élevé, surtout si le missionnaire reçoit d'autres Occidentaux, emploie des cuisiniers ou consomme de la nourriture importée.

Il n'est pas rare que le gouvernement du pays hôte impose au missionnaire étranger une taxe spéciale ou l'obligation de se rapporter aux autorités, ce qui comporte habituellement des frais.

Les vêtements et les chaussures importés d'Occident sont coûteux. La plupart des missionnaires natifs choisissent de porter des sandales et de s'habiller comme les habitants du pays.

Pour une famille occidentale avec des enfants, la pression pour maintenir un semblant de style de vie occidentale est immense. Fréquemment, la situation s'aggrave avec la pression que subissent les enfants de la part de leurs pairs dans les écoles privées que fréquentent les fils et les filles d'hommes d'affaires et de diplomates internationaux.

Finalement, les vacances, les voyages effectués au pays et le tourisme ne sont pas des activités considérées essentielles par les missionnaires natifs, mais elles le sont pour les missionnaires étrangers. Les frais d'importation de livres anglais, de magazines et de disques compacts sont une autre dépense importante qui ne fait pas partie du style de vie du missionnaire asiatique. En conséquence, le missionnaire occidental a souvent besoin de 30 à 40 fois plus d'argent pour vivre que le missionnaire indigène.

Question : Il me semble que je reçois quotidiennement des demandes pour du soutien financier d'organisations chrétiennes fiables. Comment puis-je savoir qui est réellement sincère et dans la volonté de Dieu?

Résponse : Beaucoup de chrétiens reçoivent chaque mois de la sollicitation provenant de divers organismes religieux. De toute évidence, vous ne pouvez pas répondre positivement à tous ses appels, alors, sur quoi devez-vous baser votre choix? Voici quelques critères que nous avons établis, au sujet des dons faits aux missions, qui vous seront sans doute utiles :

- Ceux qui vous demandent de l'argent croient-ils aux vérités fondamentales de la Parole de Dieu, ou sont-ils libéraux sur le plan théologique? Toute mission qui cherche à réaliser l'œuvre de Dieu doit être entièrement consacrée à Sa Parole. Le groupe qui vous demande de l'argent est-il affilié à des organismes libéraux qui nient la vérité de l'Évangile, tout en se disant « chrétiens »? Les membres de ce groupe déclarent-ils ouvertement leur foi? Trop de gens aujourd'hui marchent dans des zones grises, ne prenant pas position et faisant tout pour offenser le moins de gens possible afin d'obtenir de l'argent de tous, qu'ils soient amis ou ennemis de la croix de Christ. La Parole de Dieu s'accomplit à travers eux : « ayant l'apparence de la piété, mais reniant ce qui en fait la force » (2 Timothée 3.5).

- Cette mission a-t-elle pour but de gagner des âmes, ou est-elle axée uniquement sur un évangile social? La personne libérale croit que tous les hommes sont foncièrement bons et dans ce cas, tout ce qu'il faut pour régler leur problème, c'est changer leur environnement. Un des plus grands mensonges que Satan raconte pour envoyer les gens en enfer est : « Comment peut-on prêcher l'Évangile à un homme qui a l'estomac vide? » Toutefois, la Bible dit que tous, riches ou pauvres, doivent se repentir et se tourner vers Christ, sans quoi ils périront. Vous devez connaître l'évangile que prêche le groupe qui sollicite votre aide.

- L'organisation missionnaire est-elle financièrement fiable? Les fonds qu'elle reçoit sont-ils administrés aux fins spécifiées par les donateurs? Gospel for Asia envoie directement au champ chaque cent donné pour un missionnaire, comme le souhaite son donateur. Nos bureaux sont soutenus par des fonds désignés à cette fin. Les finances de ce groupe sont-elles vérifiées par une agence indépendante, selon des procédures approuvées? Enverront-ils un rapport financier détaillé à quiconque en fera la demande?

- Les membres du groupe missionnaire vivent-ils par la foi en Dieu ou selon la sagesse des hommes? Le plan de Dieu ne changera jamais : « Le juste vivra par la foi » (Galates 3.11). Quand une mission envoie constamment des appels à l'aide pour le maintien de l'organisation, plutôt que pour soutenir la prédication de l'Évangile, c'est que quelque chose ne va pas. C'est comme si ces gens disaient : « Dieu nous a fait une promesse, mais en ce moment, il a des problèmes et nous devons l'aider à se sortir du trou. » Dieu ne fait aucune promesse qu'il n'a pas l'intention de tenir. Quand une organisation missionnaire est constamment en train de solliciter de l'argent, il faut se demander si ce groupe fait vraiment la volonté de Dieu. Nous croyons qu'il est important d'attendre de connaître la pensée de Dieu dans ce qu'il nous appelle à faire, au lieu d'agir en insensés en faisant des pas de foi sur un chemin qu'il n'a pas tracé d'avance pour nous. La fin ne doit jamais justifier les moyens.

- Finalement, je dois vous mettre en garde : ne cherchez pas des raisons pour ne pas donner à l'œuvre de Dieu. Rappelez-vous, nous devons garder seulement le nécessaire pour subvenir à nos besoins et donner tout ce que nous pouvons pour que l'Évangile soit prêché avant que vienne « la nuit [...] où personne ne peut travailler » (Jean 9.4). Pour la majorité d'entre nous, le problème n'est pas que nous sommes trop généreux, mais que nous donnons trop peu. Nous vivons égoïstement et nous amassons des trésors sur la terre qui sera bientôt détruite, tandis que des âmes précieuses meurent et vont en enfer.

QUESTION : Comment puis-je soutenir un missionnaire national?

RÉSPONSE : Pour aider à subvenir aux besoins d'un missionnaire par l'entremise de Gospel for Asia, voici ce qu'il faut faire :

- Rendez-vous sur le site de Gospel for Asia à www.gfa.ca/francais. Ou appelez notre bureau canadien au 1-888-946-2742

- Envoyez votre premier don mensuel. La plupart de nos donateurs s'engagent à donner 30 $ par mois pour le soutien d'un missionnaire.

- Dès l'instant où vous recevrez les informations concernant votre missionnaire, vous pourrez commencer à prier pour lui et sa famille.

- Chaque mois, à mesure que vous continuerez à soutenir votre missionnaire, vous recevrez un état financier. Vous n'aurez alors qu'à poster la partie inférieure de ce relevé avec votre prochain don, dans l'enveloppe fournie.

Annexe deux

Ce que certains donateurs ont à dire

« Je crois que nous, les chrétiens occidentaux, avons énormément de difficultés à nous identifier au mouvement missionnaire, parce que nous avons grandi dans un monde matérialiste et égocentrique. Mais ce n'est pas la volonté de Dieu! La participation de notre Église dans l'œuvre de Gospel for Asia a eu deux effets spectaculaires. En premier lieu, notre style de vie a changé. Nous sommes maintenant sensibilisés aux missions à l'échelle nationale. Notre assemblée s'intéresse à autre chose que ce qui se passe chez elle. En second lieu, nous examinons de plus près chaque dollar que nous envoyons aux missions et demandons : "Les fonds sont-ils bien administrés ici?" Nous soutenons soixante missionnaires asiatiques par l'entremise de Gospel for Asia, et les familles de notre congrégation ont le privilège d'être en contact avec des croyants au tiers monde. Ils voient leurs photographies, lisent leurs témoignages et prient pour eux. Je suis vraiment reconnaissant de notre partenariat avec Gospel for Asia. »

– Pasteur L. B., Yuba City, Californie

« J'ai été sauvée quand j'avais trente ans. J'ai vécu une expérience salvatrice extraordinaire, et depuis, ma vie a changé du tout au tout. Je sens que je sais vraiment ce que cela signifie d'être perdue, et j'ai un énorme fardeau sur mon cœur pour ceux qui vivent dans les régions éloignées et ne connaissent pas Jésus. Lorsque j'ai entendu parler de Gospel for Asia, j'étais tellement enthousiasmée de savoir que je pouvais jouer un rôle important. Je sais que mon soutien peut faire en sorte que des milliers de personnes viennent à connaître Jésus au lieu d'aller en enfer. Je me réjouis à la pensée que j'attaque les portes de l'enfer et que j'ai une influence sur l'éternité. »

– Mme J. F., Chicago, Illinois

« Notre famille s'est beaucoup engagée à soutenir les missionnaires natifs par l'intermédiaire de Gospel for Asia, et même nos enfants en soutiennent chacun un. Nous habitons une petite ville du Midwest des États-Unis, et nous n'avons pas beaucoup voyagé; alors quand le Seigneur nous a présenté cette occasion, les perspectives ont vraiment changé! Nous sommes maintenant moins centrés sur nous-mêmes, notre fardeau pour les gens ne connaissant pas Christ dans les pays éloignés s'est grandement accru, et nous sommes devenus beaucoup plus conscients de l'éternité. Maintenant, nous sommes impatients de connaître la volonté du Seigneur pour nos vies. Notre prière régulière est celle-ci : « Seigneur, utilise-nous. Que pouvons-nous faire de plus pour toi? »

– M. et Mme T. G. et leur famille, Holdrege, Nebraska

Annexe trois

Pour nous joindre

Pour de plus amples renseignements, communiquez avec le bureau de Gospel for Asia le plus près de chez vous.

Afrique du Sud :

P.O. Box 28880
Sunridge Park
Port Elizabeth 6008
Téléphone : 041 360-0198
Courriel : infoza@gfa.org

Allemagne :

Postfach 13 60
79603, Rheinfelden (Baden)
Téléphone : 07623 79 74 77
Courriel : infogermany@gfa.org

Australie :

P.O. Box 3587
Village Fair
Toowoomba QLD 4350
Téléphone : 1300 889 339
Courriel : infoaust@gfa.org

Canada :

245 King Street E
Stoney Creek, ON L8G 1L9
Téléphone sans frais : 1 888 946-2742
Courriel : info@gfa.ca

Corée :

Seok-Am Blg 5th floor, 6-9 Tereran-ro
Yeoksam-dong, Gangnam-gu
Seoul 135-080
Téléphone sans frais : (080) 801-0191
Courriel : infokorea@gfa.org

États-Unis :

1800 Golden Trail Court
Carrollton, TX 75010
Téléphone sans frais : 1 800 946-2742
Courriel : info@gfa.org

Nouvelle-Zélande :

PO Box 302580
North Harbour 0751
Téléphone : 0508-918-918
Courriel : infonz@gfa.org

Royaume-Uni :

PO Box 166
Winterscale House
YORK YO10 5WA
Téléphone : 01904 643 233
Courriel : infouk@gfa.org

Notes

Chapitre 4 : J'étais saisi d'étonnement

1. Robert L. Heilbroner, The Great Ascent : The Struggle for Economic Development in Our Time, NewYork, New York, Harper & Row, 1963, p.33-36.
2. Economic Research Service, U.S.D.A., Percent of Consumption Expenditures Spent on Food, 1999, by Selected Countries. Accessible en ligne : http://www.era.usda.gov/pub- lications/sb965.
3. David B. Barrett et Todd M. Johnson, éd., World Christian Trends, AD 30-AD 2200, Pasadena, Californie, William Carey Library, 2001, p. 417.

Chapitre 5 : Une nation captive de son confort

1. Patrick Johnstone et Jason Mandryk, éd., Operation World, éd. du XXIe siècle, Carlisle, Cumbria, R.-U., Paternoster Lifestyle, 2001, p. 663.
2. Raymond G. Gordon, Jr., éd., Ethnologue : Languages of the World, 15e éd., Dallas, Texas, SIL International, 2005. Édition accessible en ligne : www.ethnologue.com.
3. Rochunga Pudaite, My Billion Bible Dream, Nashville, Tennessee, Thomas Nelson Publishers, 1982, p. 129.

4. Barrett et Johnson, World Christian Trends, AD 30-AD 2200, p. 421.
5. Kingdom Radio Guide, Holland, Michigan, Kingdom Radio Guide, 2003, p. 3.
6. Barrett et Johnson, World Christian Trends, AD 30-AD 2200, p. 45.
7. Ibid., p. 417-419.
8. Ibid., p. 40.
9. Ibid., p. 60.

Chapitre 8 : Un jour nouveau dans les missions

1. Barrett et Johnson, World Christian Trends, AD 30-AD 2200, p. 416.
2. Charlotte Hails, Christianity in China, Overseas Missionnary Fellowship. Accessible en ligne : http://www. us.omf.org/content.asp?id=27474.
3. Barrett et Johnson, World Christian Trends, AD 30-AD 2200, p. 426.
4. The World Bank, World Development Report 2000/200 : Attacking Poverty, New York, New York, Oxford University Press, 2001, p. 21-24.
5. The World Bank, World Development Indicators Database, avril 2004. Accessible en ligne : http://www.worldbank.org/data/countrydata/countrydata.html.

Chapitre 10 : Dieu retient son jugement

1. William Mcdonald, True Discipleship, Kansas City, Kansas, Walterick Publishers, 1975, p. 31.
2. A. W. Tozer, The Pursuit of God, Harrisburg,

Pennsylvanie, Christian Publications, 1948, p. 28.

Chapitre 11 : Pourquoi devrais-je créer des remous?

1. C. Peter Wagner, On the Crest of the Wave, Ventura, Californie, Regal Books, 1983, p. 103.
2. Watchman Nee, Love Not the World, Fort Washington, Pennsylvanie, CLC, 1968, p. 23-24.

Chapitre 12 : Les bonnes œuvres et l'Évangile

1. Barrett et Johnson. World Christian Trends, AD 30-AD 2200, p. 429.
2. A. W. Tozer, Of God and Man, Harrisburg, Pennsylvanie, Christian Publications, 1960, p. 35.

Chapitre 13 : L'espoir porte plusieurs noms

1. Human Rights Watch, The Small Hands of Slavery : Bonded Child Labor in India. Accessible en ligne : www.hrw.org/reports/1996/India3.htm.

Chapitre 14 : La nécessité d'une révolution

1. C. S. Lewis, The Problem of Pain, Londres, Royaume-Uni, Fontana Publishers, 1957, p. 106-107.

Chapitre 15 : Le vrai coupable : l'ignorance spirituelle

1. Johnstone et Mandryk, Operation World, éd. du XXIe siècle, p. 310.
2. Barrett et Johnson, World Christian Trends, AD 30-AD 2200, p. 428.

Chapitre 16 : Les ennemis de la croix

1. Barrett et Johnson, World Christian Trends, AD 30-AD

2200, p. 32.

2. Ibid., p. 655.
3. Johnstone et Mandryk, Operation World, éd. du XXIe siècle, p. 310.

Chapitre 17 : L'eau de vie servie dans une coupe étrangère

1. Barrett et Johnson, World Christian Trends, AD 30-AD 2200, p. 655.
2. Ibid., p. 40.
3. Ibid., p. 61.

Chapitre 18 : Une vision universelle

1. Dennis E. Clark, The Third World and Mission, Waco, Texas, Word Books, 1971, p. 70.
2. Understanding the Cost of Mission, Reformed Church in Missions. Accessible en ligne : http://www. rca.org/mission/rcim/understanding.php.
3. Barrett et Johnson, World Christian Trends, AD 30-AD 2200, p. 655.
4. Roland Allen, The Spontaneous Expansion of the Church,
5. Grand Rapids, Michigan, William B. Eerdmans, 1962, p. 19.
6. Barrett et Johnson, World Christian Trends, AD 30-AD 2200, p. 421.

Chapitre 19 : Le devoir fondamental de l'Église

1. Barrett et Johnson, World Christian Trends, AD 30-AD 2200, p. 60.

2. George Verwer, No Turning Back, Wheaton, Illinois, Tyndale House Publishers, 1983, p. 89-90.

Annexe un : Réponses aux questions

1. Barrett et Johnson, World Christian Trends, AD 30-AD 2200, p. 58.

Autres articles de Gospel for Asia

Révolution dans les Missions Mondiales

Vous l'avez lu. Pourquoi ne pas en faire profiter un ami ou membre de votre famille?

Don suggéré : 5 $
Code de commande : Français **(B1F)** *Anglais* **(B1)**

Le Chemin vers la Réalité

K. P. Yohannan lance un appel solennel à vivre dans la simplicité afin de remplir la grande mission d'évangélisation.

Don suggéré : 10 $
Code de commande : Français **(B2F)** *Anglais* **(B2)**

Vivre à la Lumière de l'Eternitè

Osez changer le monde! Vivre en tenant compte de l'éternité nous encourage à ne nous contenter de rien de moins que le but le plus élevé de Dieu pour notre vie.

Don suggéré : 10 $
Code de commande : Français **(B4F)** *Anglais* **(B4)**

Passez votre commande en ligne au *www.gfa.ca/francais*

À CONTRE-COURANT

Dans ce livre révélateur, K. P. Yohannan vous lance le défi de considérer de quelle façon vous êtes en train de courir la course à laquelle Dieu vous appelle. Tout comme l'apôtre Paul, vous aussi pouvez apprendre ce qu'il faut pour pouvoir dire un jour : « J'ai combattu le bon combat, j'ai achevé la course, j'ai gardé la foi » peu importe les obstacles.

Don suggéré : *10 $*
Code de commande : Français **(B6F)** *Anglais* **(B6)**

PRINCIPES DE MAINTIEN D'UNE ORGANISATION SELON DIEU

Vous souvenez-vous de « bon vieux temps » de votre minisère? Vous trouverez dans cet ouvrage un fondement biblique au maintien de la vitalité et de l'engagement qui accompagne tout nouveau mouvement inspiré de Dieu.

Don suggéré : *3 $*
Code de commande : Français **(BK4F)** *Anglais* **(BK4)**

LE DÉCOURAGEMENT : LES RAISONS ET LES RÉPONSES

Prêt à surmonter le découragement et à reprendre la route? C'est possible! Dans cette publication franche et engageante, K. P. Yohannan expose les raisons du découragement et fournit des réponses pratiques. Trouvez une force et un espoir nouveaux pour résoudre les problèmes contemporains.

Don suggéré : *3 $*
Code de commande : Français **(BK14F)** *Anglais* **(BK14)**

Passez votre commande en ligne au *www.gfa.ca/francais*

Commande

CODE	QUANTITÉ	DON SUGGÉRÉ
B2F	1	10,00 $
	frais de livraison de votre pays :	
	don additionnel :	
	DON TOTAL INCLUS :	

*

Poste Canadienne :

1 ou 2 articles : 5 $
3 ou 8 articles : 8 $
9 articles ou plus, ajoutez 0,25 $ par article

Veuillez encercler : M. Mme Mlle R.

Nom

Adresse

Ville Province

Code Postal Téléphone ❑ cellulaire ❑ maison ( )

Courriel

HB33-PF1F

POSTEZ CE FORMULAIRE à l'un des bureaux nationaux de Gospel for Asia énumérés à la page 257-258.

ou visitez notre site Internet **www.gfa.ca/francais**

100% DE VOTRE SOUTIEN VA DIRECTEMENT AU CHAMP MISSIONNAIRE
LA GARANTIE 100% DE GOSPEL FOR ASIA

Émettre les chèques à l'ordre de GOSPEL FOR ASIA. Veuillez accorder deux à trois semmaines pour recevoir la livraison. Tous les dons sont déductibles d'impôt moins la juste valeur marchande de nos articles. Les dons suggérés sont à la juste valeur marchande de chaque article ou inférieurs à cette valeur, et sont sujets à changement.